COBAN MAIR

GWYNETH CAREY

Argraffiad cyntaf—1999

ISBN 1 85902 783 0

Cyhoeddwyd dan gynllun comisiynu Cyngor
Llyfrau Cymru.

Dymuna'r cyhoeddwyr gydnabod cymorth
Cyngor Llyfrau Cymru.

**PO
10209817**

*Argraffwyd yng Nghymru gan
Wasg Gomer, Llandysul, Ceredigion*

BYRFODDAU

eg	enw gwrywaidd
eb	enw benywaidd
egb	enw gwrywaidd neu enw benywaidd
ll	lluosog
GC	gair sy'n cael ei ddefnyddio yng Ngogledd Cymru
DC	gair sy'n cael ei ddefnyddio yn Ne Cymru
medru[1]	edrychwch ar y nodiadau yng nghefn y llyfr

I

Cododd Mair y ffôn i wneud yn siŵr ei fod o yn ei le yn iawn. Roedd hi'n un ar ddeg o'r gloch, ond doedd neb wedi ffonio eto.

Doedd hi ddim wedi troi'r radio ymlaen. Doedd hi ddim eisiau i'r sŵn darfu ar yr alwad ffôn ac felly roedd y gegin yn od o dawel. Roedd Mair yn teimlo bod y celfi fel hi ei hun, yn gwrando ac yn aros i'r ffôn ganu. Dim ond yr haul oedd yn symud, yn wincio rhwng slatiau'r bleind. Mis Awst poeth iawn oedd hi, ac roedd pawb yn falch o'r lemonêd cartref roedd Mair yn ei gadw yn yr oergell. Meddyliodd hi am wneud peint arall, ond penderfynodd hi beidio.

Fedra i ddim rhoi fy meddwl ar ddechrau rhywbeth rŵan, meddyliodd hi. Trueni nad oedd Ann yn fodlon i mi i fynd i'r ysgol efo hi, er mwyn i mi gael gwybod yn gynt. Ond fydd dim un o'r rhieni eraill yn mynd, meddai hi.

Dw i'n cofio mynd â hi i'r ysgol am y tro cynta pan oedd hi'n bump oed. Roedd hi'n gwisgo cot fach las, ac roedd ei gwallt yn cyrlio ar y goler felfed. Dw i'n cofio Daniel yn dweud pa mor dlws oedd hi. Rhoddodd o

yn ei le	in its place	*rŵan[1]*	now (GC)
tarfu ar	to disturb	*trueni*	it's a pity
galwad (eb)	call	*efo[1]*	with (GC)
celfi (ll)	furniture	*er mwyn*	in order
slatiau'r bleind	the slats of the blind	*yn gynt*	sooner, earlier
balch	glad	*meddai[2]*	said
medru[1]	to be able, *gallu* (GC)	*am y tro cynta*	for the first time
		tlws	pretty

gusan iddi hi cyn iddo fo frysio i'r gwaith. Ond dechreuodd hi grio pan es i o'r ystafell. Y dyddiau 'ma maen nhw'n gadael i'r rhieni aros efo'r plant bach.

Wrth gwrs, do'n i ddim yn bell, dim ond yn y gegin. Ro'n i mor falch o gael y swydd yn gwneud y cinio yn yr ysgol. Ro'n i'n cael gweld Ann bob amser cinio, ac yn medru gwneud yn siŵr ei bod hi'n bwyta. Un diwrnod rhedodd hi i mewn i'r ysgol yn crio ar ôl syrthio ar yr iard. Roedd baw a gwaed ar ei phen-glin. Ond ches i ddim glanhau ei phen-glin iddi hi. Roedd hynny'n erbyn y rheolau. Ro'n i'n flin iawn am hynny.

Mae'n anodd credu ei bod hi'n un deg wyth rŵan. Mae hi wedi bod yn gariad bach. Dw i isio'i gweld hi'n mynd i'r coleg, wrth gwrs, ond dw i ddim yn gwybod beth wna i hebddi hi.

Mae Daniel isio i mi fynd i bethau. Datblygu fy hun, meddai fo. Dosbarth Ffrangeg, *Bridge*, pethau felly. Dw i ddim yn gwybod. Bydd gen i hiraeth am Ann. Wnaiff dim byd gymryd ei lle.

Wrth gwrs, dydi Aberystwyth ddim yn bell. Hwyrach y gwnaiff Daniel brynu car bach i Ann, er mwyn iddi hi gael dod adre dros y penwythnos. Os bydd hi wedi gwneud yn dda, fydd hi ddim yn anodd perswadio Daniel.

O diar, pam na fasai hi'n ffonio? Ydi hi wedi cael siom? Nac ydi, does dim perygl o hynny. Mae hi wedi cael marciau uchel bob tro, ac mae'r ysgol yn disgwyl

brysio	to hurry	*hebddi hi*	without her
syrthio	to fall	*datblygu*	to develop
baw (eg)	dirt, mud	*pethau felly*	things like that
gwaed (eg)	blood	*hwyrach*[6]	perhaps, *efallai* (GC)
rheol (eb)	rule	*siom (eg)*	disappointment
isio[i]	*eisiau* (GC)		

iddi hi gael canlyniadau gwych. Dwedodd y Prifathro hynny wrtho i.

Ydi hi'n werth i mi wneud paned eto?

Pan ddaeth Ann i'r tŷ, yn dawel drwy'r drws cefn, edrychodd Mair ar ei hwyneb yn ofalus. Buodd wyneb Ann fel llyfr agored unwaith ond, yn ddiweddar, roedd o wedi mynd yn anodd ei ddarllen. Doedd Ann ddim yn arfer dangos ei theimladau. Ond heddiw roedd hi'n gwenu ac roedd Mair yn medru gofyn.

'Pam na faset ti wedi ffonio? Gest ti newyddion da?'

'Do. Iawn. Un A a dwy B. Oes coffi yn y pot?'

'O, gwych. Da iawn ti. Llongyfarchiadau, hogan. Ddwedais i, yndo? Byddi di'n iawn rŵan. Byddi di'n medru mynd i'r coleg yn Aberystwyth. Ann Edwards, B.A. Swnio'n dda, yntydi? Ac wedyn, pwy a ŵyr?'

'Dw i'n boeth,' oedd unig ateb Ann.

'Dyna ti. Helpa dy hun i goffi. Rhaid i mi ffonio dy dad. Bydd o wrth ei fodd.'

Cyn codi'r ffôn, cymerodd Mair funud i fwynhau ei hapusrwydd. Roedd hi wedi edrych ymlaen at ffonio Daniel i ddweud canlyniadau'r arholiad. Roedd hi'n ofni y byddai ysgrifenyddes Daniel yn dweud ei fod o mewn cyfarfod, ond clywodd hi ei lais hyderus yn syth. Dwedodd Mair ei newyddion da, ond doedd Daniel ddim mor falch ag roedd hi wedi gobeithio. Roedd hi'n amlwg iddi hi ei fod o wedi disgwyl canlyniadau gwell.

---

canlyniad (eg)	result	*unig*	only
yn ddiweddar	lately, recently	*edrych ymlaen at*	to look forward to
hogan (eb)[ⁱ]	girl (GC)	*arholiad (eg)*	exam
yndo[ⁱ]	on'd do fe (GC)	*hyderus*	confident
pwy a ŵyr	who knows	*disgwyl*	to expect

9

I wneud pethau'n fwy anodd i Mair, roedd hi'n gwybod bod Ann yn ei hymyl, yn yfed ei hail gwpanaid o goffi. Brysiodd hi i roi'r ffôn i'w merch, gan ddweud bod ei thad eisiau ei llongyfarch hi. Yna, safodd Mair yn edrych ar yr eneth yn troi at y wal. Roedd Ann yn rhoi atebion unsill, a chyn hir rhoddodd hi'r ffôn i lawr. Doedd Mair ddim yn deall pam roedd wyneb Ann mor wag. Dylai Ann fod wrth ei bodd ar ddiwrnod fel hyn. Roedd y gwynt wedi mynd allan o hwyliau Mair am nad oedd hi wedi cael cyfle i orffen ei sgwrs â Daniel.

'Ydi o wedi mynd? Rhaid i ni wneud rhywbeth heno. Ddwedodd o ddim byd am fynd allan i ddathlu?'

'Naddo, ddwedodd o ddim byd. Fedra i ddim heno, beth bynnag. Dw i'n mynd allan efo'r genethod.'

'Wel, ie, iawn. Rwyt ti'n haeddu hynny. Cawn ni weld pan ddaw dy dad adre. Hwyrach y medrwn ni wneud rhywbeth dros y penwythnos. Wyt ti'n barod am ginio? Mae gen i ham ffres.'

'Nac ydw, does dim isio bwyd arna i.'

Ac aeth Ann i fyny i'w llofft, gan adael ei mam yn sefyll yn hurt yn y gegin. Doedd Mair ddim yn deall pam roedd hi'n teimlo mor fflat. Dylai hwn fod yn ddiwrnod hapus iawn.

Roedd hi'n arfer gwneud brechdan a phaned yr adeg 'ma o'r dydd, ac eistedd yn y lolfa i edrych ar y teledu. Ond roedd hi'n rhy anesmwyth i wneud hynny heddiw. Roedd sŵn cerddoriaeth uchel yn dod o lofft Ann, ac

yn ei hymyl	next to her	*haeddu*	to deserve
geneth (eb)¹	merch fach (GC)	*llofft (eb)¹*	bedroom (GC)
unsill	monosyllabic	*hurt*	dumbfounded
hwyl (eb)	sail	*lolfa (eb)*	lounge
dathlu	to celebrate	*anesmwyth*	uneasy

10

roedd y bît yn curo ym mhen Mair fel morthwyl. Caeodd hi ddrws y gegin a chodi'r ffôn i siarad â'i ffrind, Pat. Ers ugain mlynedd roedden nhw wedi bod yn cael sgyrsiau hir ar y ffôn bob wythnos. Roedden nhw wedi trafod llawer o bethau ac roedd hi'n lwcus bod y ddwy'n medru cadw cyfrinach. Roedden nhw'n medru beirniadu ei gilydd a ffraeo heb boeni am y canlyniadau. Doedd Pat ddim yn berffaith, ond roedd hi'n ffrind.

Rhoddodd Pat ei llongyfarchiadau calonnog hi, ond doedd Mair ddim yn swnio'n hapus iawn.

'Beth sy'n bod?' holodd Pat. 'Dwyt ti ddim yn fodlon?'

Yn y diwedd roedd Mair wedi dweud wrth Pat ei bod hi'n siomedig. Roedd Ann wedi cael canlyniadau mor wych yn yr arholiadau TGAU ddwy flynedd yn ôl. Y pryd hynny roedd y prifathro wedi dweud y byddai hi'n siŵr o ddod â chlod arbennig i'r ysgol. Felly, er bod y canlyniadau heddiw yn dda, doedden nhw ddim mor dda ag roedd pawb yn ei ddisgwyl.

'Does dim ots gen i,' meddai Mair wrth Pat, 'ond mae arna i ofn bod Daniel yn siomedig iawn. A hefyd, dw i'n teimlo y bydd pawb arall wedi synnu, a dw i ddim yn gwybod sut i siarad â nhw. Os bydda i'n dangos siom, byddan nhw'n fy ngweld i'n snobyddlyd. Ond os bydda i'n edrych wrth fy modd, byddan nhw'n meddwl fy mod i'n anonest. Wrth gwrs, dw i ddim wedi

curo	to beat	*ffraeo*	to argue
morthwyl (eg)	hammer	*calonnog*	hearty
trafod	to discuss	*TGAU*	GCSE
cyfrinach (eb)	secret	*y pryd hynny*	at that time
beirniadu	to criticise	*clod (eg)*	credit
ei gilydd	each other	*er*	although

dangos i Ann fy mod i'n siomedig. Beth arall fedrwn i ei wneud? Ond hwyrach bod Ann yn meddwl nad ydw i'n dweud y gwir i gyd.'

Roedd Mair yn teimlo'n well ar ôl carthu'r siom o'i meddwl; ond roedd un peth bach arall yn dal i'w phoeni. Pam roedd Ann wedi methu cyrraedd ei photensial?

II

Er bod Mair eisiau siarad â Daniel, roedd hi'n falch bod Ann wedi mynd allan am y noson cyn iddo fo gyrraedd adref. Roedd hi eisiau cael y cyfle i ddeall sut roedd o'n teimlo. Cafodd hi wybod yn ddigon buan. Clywodd hi'r drws ffrynt yn agor a Daniel yn taflu ei fag i lawr yn y cyntedd. Roedd o'n arfer chwibanu wrth ddod i mewn, ond ddim heno. Pan ddaeth o i'r gegin, roedd golwg flinedig arno fo. Brysiodd Mair i roi cusan a gwydraid o lemonêd iddo fo. Diolchodd Daniel iddi hi fel pe byddai ei feddwl o rywle arall. Doedd hi ddim yn gwybod yn iawn sut i ddechrau'r sgwrs, ond mentrodd hi ddweud:

'Siampên ddylai hyn fod, gan fod ein hunig blentyn wedi ennill lle yn y Brifysgol.'

'Wel, ie, os wyt ti'n ei roi o fel 'na. Mae'n rhaid i ni fod yn fodlon. Fel rwyt ti'n dweud, mae hi wedi cael graddau digon da.'

carthu	to cleanse, to purge	*golwg (eb)*	look, appearance
cyfle (eg)	opportunity	*gwydraid*	a glassful
buan	soon	*mentro*	to risk
cyntedd (eg)	foyer, lobby	*gan*	since
chwibanu	to whistle	*gradd (eb)*	grade

'Dwyt ti ddim yn siomedig, nac wyt ti?'

'Nac ydw, fedra i ddim dweud hynny, ond ro'n i wedi disgwyl iddi hi wneud yn well, mae'n rhaid i mi gyfadde. Roedd pawb yn disgwyl iddi hi gael y canlyniadau gorau erioed. Wyt ti'n cofio beth ddwedodd y prifathro, fod ganddi hi ymennydd dosbarth cynta? Dw i ddim yn falch o'i gweld hi'n taflu cyfle i ffwrdd. Dydi hi ddim wedi gwneud chwarae teg â hi ei hun. Dw i ddim yn credu ei bod hi wedi gweithio'n ddigon caled.'

'O, dw i ddim yn gwybod am hynny. Roedd hi'n arfer bod yn ei llofft cyn i ti ddod adre yn aml iawn, yndoedd? Dw i'n gwybod ei bod hi'n chwarae ei thapiau, ond mae pobl ifanc y dyddiau 'ma yn gwrando ar gerddoriaeth wrth wneud eu gwaith cartre. Dw i'n meddwl bod y papurau'n anodd iawn eleni.'

'Ro'n nhw'n galed pan wnaeth hi'r TGAU hefyd, ond wnaeth hynny mo'i rhwystro rhag cael 10 gradd A. Ond rwyt ti'n iawn. Den ni ddim yn medru newid pethau rŵan, felly mae'n well i ni lyncu ein siom. Paid â phoeni. Wna i mo'i beio hi.'

'Na, rhaid i ni beidio â'i brifo hi, beth bynnag wnawn ni. Dw i'n credu ei bod hi'n ddigalon iawn am ei chanlyniadau. Doedd ganddi hi ddim llawer i'w ddweud.'

Doedd gan Daniel fawr mwy i'w ddweud chwaith. Arhosodd Mair nes bod swper ar y bwrdd cyn codi'r pwnc eto.

'Beth am ddathlu, 'te?'

cyfadde	to admit	llyncu	to swallow
ymennydd (eg)	brain, brains	beio	to blame
i ffwrdd	away	brifo	to hurt
aml	often	digalon	depressed
ei rhwystro hi rhag	prevent her from	fawr mwy[6]	(not) a lot more
		pwnc (eg)	subject

'Wel, medrwn i ofyn am fwrdd i dri yn y Clwb nos Sadwrn. Fydd hynny'n iawn?'

'Bydd, ond cofia di, mae Dylan wedi bod o gwmpas am rai wythnosau rŵan. Faset ti'n hoffi ei wahodd o i wneud pedwar?'

'Mab y twrnai? Ie, mae o'n ddigon call, dw i'n credu. Ond mae'n well i ti ddweud wrtho fo fod y dynion yn arfer gwisgo siwt.'

'Iawn. Gwna i drafod efo Ann fory, a mynd â hi allan i brynu ffrog. Ro'n i'n mynd i brynu anrheg fach iddi hi beth bynnag.'

Trodd Mair ar ei hochr chwith yn y gwely, ac wedyn yn ôl ar ei hochr dde. Tynnodd hi'r dillad gwely drosti hi gan ofalu peidio â tharfu ar Daniel yn ei gwsg trwm. Ceisiodd hi wrando'n fwy gofalus, rhag ofn iddi hi fethu clywed drws car yn cau neu agoriad yn troi yn y drws ffrynt. Trodd hi eto i wasgu'r botwm ar y lamp, er mwyn gweld wyneb y cloc. Roedd hi'n ganol nos. Ond y munud diffoddodd hi'r golau, clywodd hi sŵn rhwng peswch a chwerthin, a llais gwrywaidd. Er nad oedd hi'n medru deall y geiriau, cafodd hi'r argraff bod dadlau yn mynd ymlaen, a thipyn o regi. Cododd Mair o'r gwely a gwisgo ei gŵn nos. Wrth iddi hi ddod i lawr y grisiau, agorodd y drws ffrynt. Ann oedd yno, yn cicio ac yn sgrechian dan ei gwynt.

cofia di	remember	diffodd	to switch off
twrnai (eg)¹	solicitor (GC)	argraff (eb)	impression
call	sensible	rhegi	to swear
ffrog (eb)	dress	gŵn nos (eg)	nightgown
gan ofalu¹	taking care	gris (eg)	step, stair
agoriad (eg)¹	key (GC), allwedd	dan ei gwynt	under her breath
gwasgu	to press		

14

'Rho fi i lawr. I lawr! Dw i ddim yn mynd i'r tŷ. Dw i isio bod allan.'

'Dwyt ti ddim yn gall. Rhaid i ti fynd i dy wely. Dyna ti. Dw i wedi dy gario di i'r tŷ. I ffwrdd â ti i fyny'r grisiau, a phaid â deffro dy rieni, neu byddan nhw'n fy meio i. Gwela i di fory.'

Gwthiodd Dylan Ann tuag at y grisiau, ac wrth iddo fo droi, gwelodd o Mair yn sefyll mewn sioc uwch ei ben.

'O, sori, Mrs Edwards. Do'n i ddim wedi meddwl dod i mewn. Wnewch chi edrych ar ôl . . .?'

Erbyn hyn roedd Ann wedi disgyn fel sach ar y llawr. Doedd Mair ddim yn medru dweud gair. Llusgodd Mair a Dylan Ann i fyny'r grisiau. Collodd Ann esgid ar ben y grisiau. Llwyddodd Mair a Dylan i godi Ann i'w gwely, a thynnodd Mair yr esgid arall. Doedd Ann ddim yn gwybod yn iawn beth oedd yn digwydd. Aeth hi i gysgu ar unwaith.

Doedd neb wedi siarad.

Doedd Dylan ddim yn gwybod ble i'w roi ei hun.

'Af i. Fydd hi'n iawn, on'fydd? Dw i'n ofnadwy o sori,' sibrydodd o.

Clywodd Mair y drws ffrynt yn cau a sŵn traed Dylan ar y grisiau tu allan. Eisteddodd hi wrth wely Ann yn gwrando ar yr anadlu am amser hir. Yna aeth hi'n ôl i'r gwely. Trodd Daniel ar ei ochr a rhoi ei fraich drosti hi gan fwmial,

'Ble rwyt ti? O, dyna ti.' A rhoddodd o ochenaid gysglyd.

deffro	to awaken	sibrwd (sibryd-)	to whisper
uwch ei ben	above him	yr anadlu	the breathing
erbyn hyn	by now	mwmial	to mumble
disgyn	to drop	ochenaid (eb)	sleepy sigh
llusgo	to drag	gysglyd	

III

Canodd y ffôn y bore wedyn. Roedd llais Dylan yn wan, fel pe byddai o'n nerfus.

'O, y, Mrs Edwards. Y, ydi Ann ar gael?'

'Cysgu roedd hi y tro diwetha edrychais i. Dw i'n falch iawn o glywed dy lais di, beth bynnag. Beth yn y byd ddigwyddodd neithiwr?'

'O, dim byd mawr. Does dim isio i chi boeni, Mrs Edwards. Roedd Ann yn iawn nes ein bod ni ar y ffordd adre, a dechreuodd hi deimlo'n rhyfedd yn sydyn iawn.'

'Dydi hi erioed wedi dŵad adre fel yna o'r blaen. Ble buoch chi? Pwy arall oedd efo chi?'

'Dim ond y criw arferol. Yn y Llew Coch ro'n ni. Doedd dim helynt, wir i chi. Dw i'n ffonio i ofyn sut mae Ann heddiw, dyna i gyd. Ydi hi'n bosib cael gair efo hi?'

'Gofynna i iddi hi dy ffonio di pan fydd hi wedi deffro. Ond dylwn i fod wedi diolch i ti am ddod â hi i'r tŷ. Mae'n ddrwg gen i – dw i ddim yn meddwl yn glir iawn y bore 'ma.'

Wedi rhoi'r ffôn i lawr a chychwyn i fyny'r grisiau efo cwpanaid o goffi, ceisiodd Mair ddeall ei theimladau. Roedd hi'n anodd iddi hi gydnabod bod Ann wedi yfed 'dipyn bach gormod'. Byddai Mair yn hoffi cael beio rhywun arall, rhywun oedd wedi rhoi jòch o rywbeth cryf yn niod Ann, ond doedd y syniad 'na ddim yn un cysurus chwaith. A beth oedd rhan

---

dŵad[1]	to come (GC), *dod*	*cydnabod*	to acknowledge
o'r blaen	before	*jòch (eg)*	gulp, shot
helynt (eb)	trouble	*cysurus*	comfortable
cychwyn	to start		

Dylan yn y ddrama? Trueni na fuasai Ann yn dweud yr hanes i gyd, fel y byddai hi pan oedd hi'n ifancach!

Cnociodd Mair ar ddrws y llofft, gan ofni y byddai Ann yn flin neu'n sâl. Roedd hi'n falch pan wnaeth Ann ddeffro a diolch am y coffi, a'i yfed ar unwaith. Ond wedyn, roedd gan Ann lai i'w ddweud nag arfer, hyd yn oed. Nac oedd, doedd hi ddim yn cofio Dylan yn ei chario hi drwy'r drws. Nac oedd, doedd hi ddim wedi bod yn sâl. Roedd hi wedi blino neithiwr ond roedd hi'n iawn rŵan, dim ond mymryn o gur pen.

Aeth Mair i'r gegin i wneud salad ffrwythau i swper. Roedd Ann yn well erbyn amser te. Cafodd hi gawod, golchodd hi ei gwallt, a rhoddodd hi golur ar ei llygaid a'i gwefusau cyn i'w thad ddod adref. Cusanodd Daniel ei llaw yn seremonïol.

'Wel, wel! Pwy ydi'r seren 'ma sy wedi galw heibio i'n tŷ ni? Rwyt ti'n edrych yn ffantastig, hogan! Ac rwyt ti'n alluog. On'd wyt ti wedi gwneud yn dda! Bydd rhaid i ni gofio dy fod ti'n Rhywun rŵan, nid yn eneth ysgol!

'Yli, mae'n ddrwg iawn gen i dy golli di neithiwr wrth fod yn hwyr yn y swyddfa. A do'n i ddim isio tarfu arnat ti y bore 'ma. Gwna'r gorau o'r gwyliau sydd ar ôl gen ti. Byddi di'n gweithio'n ddigon caled yn y coleg 'na.'

Daeth Mair i'r ystafell yn cario dysglaid o gig. Gwenodd hi wrth weld y ddau. Roedd Ann yn sefyll

hyd yn oed	even	*yn seremonïol*	ceremoniously
mymryn (eg)	a little bit of	*seren (eb)*	star
cur pen[1]	headache (GC), pen tost	*galluog*	intelligent
colur (eg)	make-up	*yli[1]*	look! (GC) *drycha*
gwefus (eb)	lip	*dysglaid (eg)*	a dishful of

17

yng nghesail ei thad oedd yn ei gwasgu hi ato fe. Rhyfeddodd Mair, fel lawer gwaith o'r blaen, ei bod hi wedi priodi dyn mor olygus, a chael merch mor debyg iddo fo. Doedd Mair erioed wedi cael llawer o glod am fod yn ddel. Roedd ei mam wedi dysgu iddi hi mai 'y ffordd i galon dyn yw drwy ei stumog'. Roedd hi'n arfer dweud wrth Mair am wneud yn siŵr ei bod yn cadw bwrdd da. Cafodd Mair y syniad fod cadw cartref cysurus yn bwysicach nag edrych yn ddel. Ar ôl priodi Daniel, roedd hi wedi dechrau gwario mwy arni hi ei hun, am ei fod o'n disgwyl iddi hi wneud hynny. Ond gwneud pryd da o fwyd oedd ei phrif bleser hi. Cafodd hi gysur o weld Ann a Daniel yn eistedd wrth y bwrdd, ac anghofiodd hi helyntion y noson cynt.

Ddwedodd hi ddim byd am ei phryderon wrth Daniel chwaith.

Y bore wedyn, Mair oedd fwyaf awyddus i gychwyn i'r dref i siopa; ond cododd Ann tua deg o'r gloch. Yfodd hi ddwy gwpanaid o goffi, a thaflu ei hun i sedd flaen y car. Yn y pentref, stopiodd Mair i roi pàs i un o'r pensiynwyr.

'O, diolch yn fawr iawn i chi, Mrs Edwards,' meddai'r hen wraig. 'Mae'r hen fws yn hwyr eto. Ro'n i isio bod yn y dre cyn i'r llyfrgell gau. Dech chi'n garedig dros ben yn rhoi pàs i mi fel hyn, yn enwedig gan fod cwmni ganddoch chi. Ann dech chi, yntê, 'ngeneth i? Yntydech

yng nghesail ei thad	under her father's arm	cysur (eg)	solace, comfort
rhyfeddu	to marvel	cynt	previous
del	pretty	pryder (eg) on	anxiety, worry
gwario	to spend (money)	sedd flaen (eb)	front seat
pryd (eg)	a meal	pàs (eg)	lift, lifft
		yntê	isn't it

chi wedi mynd yn ferch fawr? Bobol bach! Faswn i byth wedi'ch nabod chi, na faswn wir. A beth dech chi'n wneud rŵan? Dech chi erioed wedi gadael yr ysgol?'

'Dw i newydd adael.'

'Wel, on'd ydi amser yn mynd? Dech chi'n mynd i'r coleg?'

'Ydw.'

'Da iawn chi. Un dda dech chi. Ond dech chi'n dod o deulu galluog yntydech? Roedd ein Rhodri ni yn yr ysgol efo'ch tad. Roedd Rhodri'n arfer dweud nad oedd ganddo fo siawns yn erbyn Daniel Edwards. Eich tad chi oedd ar ben y dosbarth bob tro. Rhaid eich bod chi'n falch iawn ohoni hi, Mrs Edwards.'

Roedd Mair yn medru teimlo Ann yn gwasgu'n ddyfnach i sedd y car. Roedd hi bron wedi mynd o'r golwg. Roedd Mair yn falch o gyrraedd y llyfrgell a ffarwelio â'r hen wraig. Ceisiodd hi wedyn daenu olew ar y dyfroedd.

'Fel 'na mae hen bobl, yntê, yn enwedig yn y wlad, maen nhw'n holi hanes pawb. Trio bod yn gyfeillgar maen nhw. Ac maen nhw'n canmol, yn enwedig canmol llwyddiant. Mae ganddyn nhw barch mawr at bawb sydd wedi bod mewn coleg.'

Roedd Ann rŵan wedi codi yn ei sedd ac yn edrych o'i chwmpas.

'Oes, mae'n debyg,' meddai hi'n ddidaro. 'Ble dech chi'n mynd i barcio?'

bobol bach!	good gracious!	*holi hanes*	to pry into every
newydd	just		one's business
dyfnach	deeper	*canmol*	to praise
o'r golwg	from sight	*parch (eg)*	respect
taenu olew ar y	to pour oil on	*o'i chwmpas*	around her
dyfroedd	troubled waters	*yn ddidaro*	nonchalantly

Gwenodd Mair yn fodlon.

'Ble bynnag rwyt ti isio prynu dy ffrog di. Cei di siopa wrth dy hunan wedyn, os bydd gen ti awydd. Af i i siopa am fwyd.'

Aethon nhw i'r siop fawr, ac i'r Adran Ffasiwn ar y llawr cyntaf. Dechreuodd Mair edrych ar y rhesi o ffrogiau parti.

'Wyt ti'n gweld rhywbeth baset ti'n hoffi?'

'Nac ydw, ddim 'to.'

'Dyma un ddel. Gwddf sgŵp, llinell syth, ac mae'r hem uwch y ben-glin. Does dim ots am y pris – mae'r ffrog hon yn anrheg. Wyt ti'n ei hoffi hi?'

'Dw i ddim yn gwybod. Dw i ddim isio dim byd gwyn.'

'O, wel. Pa liw hoffet ti?'

'Du, dw i'n credu.'

'Iawn. Dyma un ddu. Beth am hon?'

'Ie, iawn.'

'Wel, dos i'w thrio hi, 'te.'

Pan aeth Ann i'r ystafell newid, pendronodd Mair ar y newid sy'n digwydd i blant yn eu harddegau. Pan oedd Ann yn un deg tair oed, roedd hi'n arfer cymryd oriau i ddewis ffrog, a fyddai dim byd yn ddigon da iddi hi yn y diwedd. A dyma hi heddiw, wedi ei bodloni mewn deg munud. Doedd ei mam ddim wedi cael cyfle i bendroni efo hi. Roedd Mair yn cael mwy o bleser o siopa efo Pat nag efo'i merch ei hun. Ond roedd hi'n falch bod gan Ann ffrog ddel i'w gwisgo yn y Clwb.

---

awydd (eg)	want, desire, eisiau	dos[1]	go (GC), cer (DC)
		pendroni	to ponder
rhesi (ll)	rows	arddegau	teenagers
gwddf (eg) sgŵp	scoop neck		

20

Doedden nhw ddim wedi bod yn hir chwaith. Byddai'n braf cael cinio cyn i'r siop goffi fynd yn rhy brysur.

Dim ond un bwrdd gwag oedd yno, wedi'r cyfan. Roedd y tywydd braf wedi gyrru llawer o bobl i eistedd ac yfed coffi oer. Wedyn roedd yr awr goffi wedi troi'n amser cinio. Roedd llawer o bobl yn aros am fwrdd, ac roedd y gweinyddesau'n ceisio cael pobl i rannu byrddau. Clywodd Mair un o'r gweinyddesau'n dweud 'mae lle i un 'ma.' Roedd hi'n gallu gweld gwraig olygus yn dilyn llais y weinyddes tuag atyn nhw. Mam Dylan oedd hi.

'Ga i eistedd yma? Gobeithio nad ydw i'n tarfu arnoch chi. Dw i'n siŵr eich bod chi'n brysur yn prynu dillad ar gyfer y tymor nesa. Mae Dylan yn anobeithiol, mae arna i ofn. Dw i'n prynu crysau, fel bod ganddo fo rywbeth taclus i'w wisgo, a dw i'n gadael popeth arall iddo fo. Mae'r jîns 'ma i gyd yn edrych yr un fath i mi. O, gyda llaw, dech chi'n garedig yn ei wahodd o allan i'r Clwb nos Sadwrn. Mae o'n edrych ymlaen, a gwna i'n siŵr ei fod o'n gwisgo rhyw fath o siaced. O, llongyfarchiadau, Ann. Dw i'n clywed dy fod ti wedi gwneud yn dda iawn. Wyt ti'n mynd i Aber?'

Atebodd Ann heb godi ei llygaid oddi ar ei brechdan.

'Ydw, dw i'n credu.'

Roedd Mair ar bigau'r drain i wybod faint o hanes echnos roedd Glenys yn ei wybod. Doedd dim ond un peth i'w wneud, sef siarad, siarad a siarad. Dangosodd hi'r ffrog newydd, canmol y bwyd, ac wfftio at y gwres.

wedi'r cyfan	after all	*taclus*	tidy
gweinyddesau	waitresses	*yr un fath*	the same
rhannu byrddau	to share tables	*gyda llaw*	by the way
tuag atyn nhw	towards them	*ar bigau'r drain*	on tenterhooks
ar gyfer	for	*wfftio*	to make light of

Ar ôl hynny, dechreuodd hi holi Glenys am ei dyddiau coleg hi. Bwytaodd Ann hanner ei brechdan, ac yna gofynnodd hi am gael ei hesgusodi. Roedd hi wedi cofio'n sydyn ei bod hi eisiau prynu tapiau. Wedi i Ann fynd, roedd Mair mewn panig. Roedd hi'n ofni y byddai Glenys yn holi am Ann a Dylan ac am y noson yn y Llew Coch, ac yn wir, gwnaeth Glenys hynny.

'Oes rhywbeth rhwng Ann a Dylan, dech chi'n meddwl?'

'Dw i ddim yn gwybod. Baswn i'n falch iawn petasai yna rywbeth rhyngddyn nhw, ond dech chi byth yn gwybod efo'r rhai ifainc y dyddiau 'ma, nac ydech?'

Ond roedd Glenys yn gwybod yn iawn, ac yn gobeithio na fyddai Dylan yn dod yn rhy hoff o eneth oedd wedi meddwi cyn ysgwyd llwch yr ysgol oddi ar ei thraed. Felly ddwedodd hi ddim mwy. Roedd Mair yn falch nad aeth y sgwrs ddim ymhellach.

IV

Daeth Ann i lawr y grisiau yn ei ffrog ddu, a chwibanodd ei thad.

'Trueni bod Dylan yn dod', meddai fo. 'Hoffwn i dy gael di i mi fy hun. A dy fam, wrth gwrs. Mae'r ddwy ohonoch chi'n werth eich gweld.'

Roedd Mair hefyd mewn ffrog sidan newydd. Pan ganodd cloch y drws, edrychodd hi'n bryderus. Ond

esgusodi	to excuse
ysgwyd llwch	to shake the dust
oddi ar	from
ymhellach	further

gwerth eich gweld	(you) are worth seeing
sidan	silk
pryderus	worried

22

roedd popeth yn iawn. Roedd Dylan wedi gwisgo siwt dywyll a chrys gwyn. Aethon nhw i gyd allan i'r car yn gwmni hapus.

Er bod decor y Clwb yn foethus, y bobl oedd yn creu'r naws gysurus. Roedd pawb yn gwisgo dillad drud a thlysau aur trwm.

'Dim ond hen bobl sy'n gallu fforddio dod yma, pobl sydd wedi llwyddo yn y byd,' sibrydodd Dylan wrth Ann. Crychodd Ann ei thrwyn fel ateb. O'r holl bobl oedd yno, dim ond Dylan ac Ann oedd o dan dri deg oed.

Pan ddaeth Daniel i mewn, buodd e'n siarad llawer â'i ffrindiau. Roedd hi'n amlwg ei fod o wrth ei fodd yn cyflwyno ei ferch.

'Noson fach i ddathlu cyn iddi hi fynd i'r coleg,' meddai fo'n dawel wrthyn nhw.

'Gobeithio dy fod di'n mynd i ddod â hi 'ma eto,' meddai un. 'Medrwn ni wneud efo dipyn o glamor ifanc o gwmpas y lle 'ma.'

Gwenodd Daniel yn fodlon wrth hebrwng pawb at y bwrdd. Cymerodd o'r fwydlen ac edrych am yr eitem fwyaf drud arni hi.

'Mae ganddyn nhw stêc da ma. Does dim byd gwell na stêc a gwin coch. Beth rwyt ti'n feddwl, Dylan?'

Ceisiodd Mair ymlacio ac ildio i bleser y noson. Roedd Daniel yn amlwg yn mwynhau ei ran fel gwesteiwr. Ail-lanwodd o'r gwydrau, ond yfodd o ddim

moethus	luxurious
creu'r naws	to create the nuance
tlysau (ll) aur	gold jewellery
aur	gold
fforddio	to afford
crychu	to wrinkle

cyflwyno	to introduce
hebrwng	to escort
bwydlen (eb)	menu
ildio	to yield
gwesteiwr (eg)	host
ail-lenwi (lanw-)	to refill

rhagor achos ei fod o'n gyrru. Yfodd Ann yr ail wydraid yn gyflym iawn, a galwodd Daniel am botelaid arall.

'Dim rhagor i mi,' meddai Mair.

'Nac i fi, diolch yn fawr,' meddai Dylan.

'Twt, bydd rhaid i chi helpu Ann. Dw i'n gwybod mai ei noson hi ydi hi, ond fydd hi ddim yn medru yfed potelaid arall ar ei phen ei hun.'

'Dech chi isio bet, Dad?'

'Clywch ar yr hogan. Gwell i ti fynd â hi i ddawnsio, Dylan, i'w chadw hi'n gymharol sobr.'

Gwenodd o ar y ddau ohonyn nhw.

'Cest ti syniad da, Mair, i wahodd Dylan efo ni heno. Dydi o ddim fel y caridýms dw i wedi bod yn gweld o gwmpas y lle. Mae'n braf gweld y ddau'n ohonyn nhw'n cael noson dda, yntydi? Doedd hi ddim fel hyn pan o't ti a fi'n caru.'

'Nac oedd. Sedd gefn yn y sinema os o'n ni'n lwcus, a bag o sglodion ar y ffordd adre.'

'Den ni wedi dŵad dipyn o ffordd ers hynny.'

'Yden.'

'Cofia, faswn i ddim wedi medru ei wneud o hebddot ti. Ti sydd wedi edrych ar ôl y cartre, a gadael i mi roi fy meddwl i gyd ar y busnes. Dydi o ddim yn hawdd codi busnes adeiladu mewn tre fel hon. Roedd cystadleuaeth gryf ar y dechrau, yndoedd? Erbyn hyn, does gen i ddim pryderon ariannol. Rŵan, wedi i Ann fynd i ffwrdd, cei di gyfle i gymdeithasu dipyn mwy.

---

clywch ar	listen to	*fel hyn*	like this
yn gymharol sobr	comparatively sober	*ers hynny*	since then
		cymdeithasu	to socialise
caridýms (ll)	rascals, rogues		

Rwyt ti'n ei haeddu o. A phaid â bod yn brin o ddillad. Wedi i ti orffen prynu i Ann, pryna rywbeth i ti dy hun.'

Gafaelodd Daniel yn llaw Mair a'i thynnu at y llawr dawnsio. Chwiliodd o yn y tywyllwch am le yn agos i Dylan ac Ann. Roedd Ann yn dawnsio'n egnïol iawn ac roedd Dylan yn gwneud ei orau i'w dilyn hi.

'Gad iddyn nhw,' meddai Mair. 'Awn ni i'r ochr arall.'

Oddi yno, gwelon nhw Ann yn troi'n sydyn ac yn mynd yn ôl at y bwrdd. Roedd Dylan yn ei dilyn.

'Rhown ni bum munud o ras iddyn nhw,' meddai Mair.

Wedi iddi hi a Daniel ddod yn ôl, roedd gwres emosiynol i'w deimlo o gwmpas y bwrdd. Roedd Dylan yn gafael yn nwylo Ann, ac yn edrych yn gariadus i'w llygaid. Ond roedd Ann yn chwerthin. Roedd hi wedi taflu ei phen yn ôl ac roedd hi'n chwarae efo'i breichled aur. Chwalodd yr awyrgylch yn syth, a brysiodd Mair i ddechrau sgwrs.

'Dw i allan o wynt, dw i ddim yn gwybod amdanoch chi'ch dau. Beth am ragor o goffi?'

Buodd Ann yn chwerthin yn dawel bob hyn a hyn drwy'r nos; ond roedd Dylan yn edrych fel dyn mewn cariad.

---

prin o	short of	*breichled (eb)*	bracelet
egnïol	energetic	*chwalu*	to shatter
dilyn	to follow	*awyrgylch (eg)*	atmosphere, mood
gad iddyn nhw	leave them be	*bob hyn a hyn*	every now and
gras (eg)	grace		again

V

Roedd Neuadd Pantycelyn yn ferw gwyllt. Roedd bagiau dan draed a bagiau ar y grisiau. Roedd myfyrwyr yn crwydro'r coridorau. Roedden nhw i gyd ar goll. Roedd Ann yn teimlo rhywun wrth ei hysgwydd. Gwelodd hi ben cyrliog yn troi'n ddryslyd i ffwrdd.

'O, sori. Dw i ddim yn gweld ble dw i'n mynd efo'r llwyth 'ma yn fy mreichiau. Ro'n i'n meddwl fy mod i wedi cyrraedd fy llofft. Nid ystafell 231 ydi hon?'

'Nage, mae 231 ar draws y coridor. Dw i newydd ei gweld hi.'

'O, diolch. Jini dw i. Wyt ti yn y llofft 'ma?'

'Ydw. Ann dw i.'

'S'mae? Den ni'n byw yn ymyl ein gilydd felly. Dw i'n falch o gyfarfod rhywun. Wyt ti ar dy ffordd i lawr y grisiau? Aros i mi roi'r bagiau 'ma i mewn i fy ystafell, a dof i efo ti.'

Roedd Mair a Daniel newydd gyrraedd gwaelod y grisiau efo mwy o fagiau. Roedden nhw'n syn wrth weld Ann yng nghwmni geneth arall. Roedd y ddwy yn edrych yn wahanol iawn i'w gilydd. Roedd gan Ann wallt du, ac roedd hi'n dal, yn denau ac yn dawel: gwallt coch oedd gan y ferch arall, ac roedd hi'n fyr, yn

Neuadd Panty- *celyn (eb)*	Pantycelyn Hall (Welsh Hall of residence at Aberystwyth University)	*ysgwydd (eb)* *dryslyd* *llwyth (eg)* *ar draws* *gwaelod (eg)*	shoulder confused load across bottom, base
berw gwyllt *crwydro*	a hive of activity to wander	*i'w gilydd*	to each other

grwn ac yn llawen. Daeth hi ymlaen yn llawn hwyl a hyder.

'Jini dw i. Dw i'n gymydog i Ann, mae fy llofft i ar draws y coridor. Dw i'n falch iawn o'i gweld hi. Mae fy rhieni i 'ma yn rhywle hefyd, ond maen nhw wedi mynd i grwydro fel arfer. Af i i chwilio amdanyn nhw. Tyrd i weld fy ystafell i pan fyddi di'n barod, Ann. Hwyl!' Ac i ffwrdd â hi.

'Dyna ti, Mair,' meddai Daniel. 'Ddwedais i y basai hi'n gwneud ffrindiau, yndo? Fyddi di'n iawn, ynbyddi di, Ann?'

'Bydda wrth gwrs.'

'Cofia di ddweud os bydd gen ti angen mwy o arian. Dw i wedi clywed straeon ofnadwy am fyfyrwyr sy'n mynd i ddyled. Does dim rhaid i hynny ddigwydd i ti.'

'Hoffet ti i ni ddod yr wythnos nesa efo blanced arall i ti? Bydd hi'n Hydref cyn hir.'

'Peidiwch â gwneud ffŷs, Mam. Bydda i'n iawn. Does dim rhaid i chi aros rŵan.'

'Ie, iawn, gwell i ni feddwl am fynd. Wyt ti'n siŵr nad wyt ti isio dim byd arall o'r tŷ?'

'Ydw, bydda i'n iawn.'

'Wyt ti am ddod gyda ni at y . . . car?'

Rhywsut aeth y gair olaf yn sŵn crac bach yn dod o'r gwddf. Roedd Mair yn falch o gael cuddio y tu ôl i Daniel wrth iddo fo hebrwng Ann i fyny'r llethr bach i'r maes parcio. Roedd hi hefyd yn llusgo ei thraed, ond nid felly Daniel.

crwn	round	*straeon (ll)*	stories
tyrd[l]	come (GC),	*dyled (eb)*	debt
	dere (DC)	*llethr (eg)*	slope

'Does dim pwynt aros o gwmpas fan hyn.' Rhoddodd o gusan ddramatig i Ann. 'Gwnawn ni adael myfyrwraig orau'r flwyddyn i setlo i lawr, ie, Ann? Bydd rhaid i ti fynd ati o'r dechrau os wyt ti am fod yn Llywydd yr Undeb!'

'Paid â gwrando ar dy dad yn rwdlan. Edrycha ar dy ôl dy hun, a chofia ffonio i ddweud sut rwyt ti.' Cododd y dagrau i lygaid Mair unwaith eto, ond welodd Ann mohonyn nhw. Roedd hi'n rhedeg i lawr y llethr i sefyll y tu ôl i griw o ferched wrth ddrws y neuadd. Cnociodd Mair ar ffenestr y car wrth basio, ond i ddim pwrpas. Gyrrodd Daniel ymlaen yn ddidaro, a throi am y chwith tua'r dref. Uwchben y môr roedd yr haul yn disgleirio fel sofren yn yr awyr lwyd.

'Ble rwyt ti'n mynd, Daniel? Nid dyma'r ffordd adre.'

'Dw i ddim yn mynd â ti adre efo'r wyneb hir 'na. Awn ni am dro cyflym ar hyd y Prom yn gynta. Wedyn awn ni i chwilio am swper.'

'O.'

Roedd hyn yn ddoniol i Daniel.

'Dwyt ti ddim yn ddiolchgar iawn!'

'Baswn i'n ddiolchgar, ond does gen i ddim llawer o awydd heno.'

'Wel, gwna awydd. Rwyt ti wedi gwneud digon i Ann. Mae'n bryd i ni gael dipyn o fywyd. Ti a fi sy'n bwysig rŵan.'

Doedd gan Mair ddim ateb. Roedd hi'n llawn o hiraeth, ac roedd hi'n flin wrth Daniel am beidio â

Llywydd yr Undeb	Union President	*uwchben*	above
rwdlan	to talk nonsense	*sofren (eb)*	sovereign
dagrau (ll)	tears	*am dro cyflym*	for a quick spin

chydymdeimlo â hi. Bodlonodd hi ei hun drwy feddwl nad oedd disgwyl i ddynion ddeall. Beth ro'n nhw'n wybod am fod yn fam?

VI

Roedd Mair yn sefyll yn y gegin, yn disgwyl i rywbeth ddigwydd. Roedd y tŷ'n dawel a gwag. Roedd Ann wedi mynd â chymaint o'i phethau efo hi. Doedd Mair ddim yn hoffi cerddoriaeth Ann, ond rŵan roedd hi'n teimlo hiraeth am y sŵn.

Canodd y ffôn. Pat oedd yno, yn llawn cydymdeimlad.

'Sut rwyt ti'n teimlo? Gwranda, dw i isio clywed yr hanes i gyd, ond dw i ar fy ffordd i fy nosbarth cadw'n heini. Tyrd efo fi – gwnaiff o fyd o les i ti – ac awn ni am baned wedyn.'

'Cadw'n heini? Fi? Fues i erioed mewn dim byd fel hynny. Does gen i ddim byd i'w wisgo.'

'Mae gen ti rywbeth, dw i'n siŵr. Byddi di'n iawn, cei di weld. Jest tyrd. Gwna i edrych ar dy ôl di, dw i'n addo. Gwela i di yno.'

Ar ôl rhoi'r ffôn i lawr, penderfynodd Mair fynd i gyfarfod Pat, ond i beidio ag ymuno yn y dosbarth. Edrychodd hi ar ei sgert flodeuog. Aeth hi i newid i'w slacs.

Yn y neuadd gwelodd hi griw o ferched yn ysgwyd eu traed a'u dwylo. Roedden nhw'n clebran fel adar.

cadw'n heini	to keep fit	*blodeuog*	flowery, floral
byd o les	the world of good	*ysgwyd*	to shake
addo	to promise	*clebran*	to chat
ymuno	to join		

Roedd Mair yn teimlo fel mymi ar dir y byw a bu bron iddi hi droi'n ôl.

'O na, dwyt ti ddim yn cael dianc fel 'na,' meddai Pat oedd wedi ymddangos o rywle. 'Tyrd i dalu dy ddwy bunt. Cei di guddio yn y rhes gefn os wyt ti isio. Does dim rhaid i ti sefyll ar dy ben na dim byd fel hynny. Ond paid â mynd adre, beth bynnag wnei di. Dw i isio sgwrs.'

Penderfynodd Mair ddal ati tan ddiwedd y wers. Roedd hi'n ei chael hi'n anodd dilyn y gorchymyn i gicio i'r dde, i'r chwith, ymlaen ac yn ôl. Erbyn iddi hi anfon ei choesau i'r cyfeiriad iawn, roedd pawb arall yn gwneud rhywbeth arall. Weithiau, roedd hi'n gwenu ar Pat, cystal â dweud 'yntydw i'n anobeithiol?', neu 'yntydi hynny'n jôc?' Gwenodd hi'n swil pan meddai un o'r dosbarth wrthi hi, 'Peidiwch â phoeni. Bydd yn hawddach y tro nesa.' Cadwodd Mair yn agos wrth ochr Pat yn yr ystafell newid a brysion nhw i'r siop goffi. Suddodd hi i'r gadair agosaf tra aeth Pat i brynu'r coffi.

'Wel, tyrd,' meddai Pat. 'Dwed hanes ddoe wrtha i.'

'Dw i ddim yn gwybod beth i'w ddweud.' Torrodd ei llais yn sydyn, a daeth dagrau i'w llygaid.

'O diar, diar! Ydi pethau mor ddrwg â hynny?' Rhoddodd Pat fymryn o gellwair yn y geiriau. Llyncodd Mair a cheisio siarad yn normal.

'Nac yden siŵr. Fi sy'n wirion. Dw i ddim yn gwybod beth sy'n bod arna i. Aethon ni ag Ann i Aber, ac roedd hi'n iawn. Dim problem.'

bu bron iddi	she almost	*cystal â dweud*	as good as saying
dianc	to escape	*swil*	shy
dal ati	to keep to it	*suddo*	to sink
gorchymyn (eg)	order, command	*cellwair (eg)*	joke, jest
cyfeiriad (eg)	direction	*gwirion*	silly

30

'Ond do't ti ddim yn iawn?'

Atebodd Mair mewn llais bach.

'Dw i ddim yn gwybod beth i'w wneud hebddi hi.'

Roedd Pat eisiau chwerthin, ond dim ond am eiliad. Sobrodd hi ar unwaith a gwrando yn ofalus ar ei ffrind.

'Mae'r hogan yn tyfu, yntydi? Dwyt ti ddim isio iddi hi aros yn blentyn am byth.'

'Wel, nac ydw, ond . . .'

'Ond beth?'

'Ro'n i'n disgwyl iddi hi grio, ond wnaeth hi ddim.'

'Ddim crio! Y nefoedd wen, beth rwyt ti'n ddisgwyl? Nid ei gadael hi yn Ysgol y Babanod o't ti!'

'Ie, dyna beth dw i'n gofio, mae'n debyg. Cofio mynd â hi i'r ysgol am y tro cynta. Roedd y ddwy ohonon ni'n crio bob dydd am wythnos. Roedd hi'n eneth fach mor annwyl, yn rhoi ei breichiau am fy ngwddf i. A rŵan, dw i'n dal i fod â hiraeth amdani hi, ond dydi hi ddim yn malio dim.'

Roedd llygaid Pat yn ddwys.

'Rwyt ti'n mynd o flaen gofid. Mae'n naturiol iddi hi beidio â dangos ei theimladau. Dydi o ddim yn cŵl i bobl ifanc fod â hiraeth. Dydi fy hogiau i byth yn dweud dau air. Dw i'n lwcus os ca i 'ta-ta Mam' wrth iddyn nhw fynd drwy'r drws.'

'Ie, wel, mae hogiau'n wahanol, yntydyn? Mae dy hogiau di'n iawn. Maen nhw'n llawn hwyl.'

'Mae Ann yn llawn hwyl efo'i ffrindiau hefyd, mae'n debyg?'

sobri	to sober up	*malio*	to care
tyfu	to grow	*dwys*	grave, intense
y nefoedd wen	good heavens	*mynd o flaen*	to worry
Ysgol y Babanod	Infant School	*gofid*	unnecessarily
dal i fod	still·	*hogiau (ll) hogyn*ⁱ	boys (GC)

'Mae hi'n cael gormod o hwyl, mae arna i ofn. Rhyw fath o hwyl.'

'Beth rwyt ti'n feddwl?'

'Wel, mae gen i ofn ei bod hi'n mynd allan efo rhai eitha od weithiau.'

'Dyna ti eto. Rwyt ti'n mynd o flaen gofid. Maen nhw'n ifanc yntyden? Maen nhw'n cael tipyn o sbort.'

Roedd Mair eisiau dweud hanes noson y dathlu, ond doedd hi ddim yn hoffi dweud bod Ann wedi meddwi. Fyddai hi ddim wedi dweud wrth neb arall. Ond roedd hi eisiau rhannu'r gyfrinach.

'Y noson cawson nhw ganlyniadau'r lefel A, daeth Ann adre'n hwyr iawn. Roedd hi'n sâl iawn. Dw i'n amau bod rhywun wedi rhoi rhywbeth yn ei diod.'

'Pam rwyt ti'n amau hynny?'

'Dw i ddim yn gwybod. Dw i ddim yn deall pam mae pobl yn gwneud y pethau gwirion 'ma. Ond dw i ddim yn credu ei bod hi wedi yfed digon i feddwi.'

'Hwyrach mai wedi blino roedd hi, efo'r cyffro a phopeth. Beth ddwedodd Daniel?'

'Wnes i mo'i ddeffro fo.'

'Gysgodd o drwy'r cwbl? Ddwedaist ti ddim wrtho fo y bore wedyn?'

'Wel, naddo.'

'Pam, neno'r tad?'

'Dylwn i fod wedi dweud. Ond – mae o'n disgwyl llawer ganddi hi.'

'Fasai fo wedi gwylltio?'

'Mae o'n beth rhyfedd, cofia. Dw i erioed wedi meddwl am y peth o'r blaen. Ond y gwir ydi, fy mod i

rhyw fath o hwyl	some sort of fun	*cyffro* (eg)	excitement
amau	to suspect	*neno'r tad*	in God's name

wedi ei hamddiffyn hi ar hyd ei hoes. Pan oedd hi'n hogan ddrwg, do'n i byth yn dweud wrth ei thad. Wel, fuodd hi erioed yn ddrwg o ddifri. Dim ond pethau bach. Un tro aeth hi i'n llofft ni a defnyddio pob minlliw oedd gen i. Gwnaeth hi baentio'i hwyneb a'i gwallt, a difetha'i ffrog orau. Roedd Daniel yn hoffi ei gweld hi yn y ffrog honno, un las efo coler lês; felly roedd rhaid i mi ddweud wrtho fo fod y ffrog wedi mynd. Ond dwedais i fy mod i wedi difetha'r ffrog wrth ei smwddio.'

'Pam gwnest ti hynny?'

'A bod yn onest, dw i ddim yn gwybod yn iawn. Ro'n i isio i Ann fod yn berffaith yng ngolwg ei thad, mae'n debyg.'

'Duwcs, does neb yn berffaith yn ein tŷ ni.'

Meddyliodd Mair am dŷ Pat, yn llawn o ddillad pêl-droed a chaniau cwrw, a sŵn gitâr yn dod o'r llofft, ac aroglau ffrio sglodion yn y gegin. Tu allan, byddai Ifan ei gŵr yn trwsio'r car ac yn gofyn am frechdan ham, a neb yn cymryd dim o ddifri. Neu felly roedd hi'n ymddangos.

'Rwyt ti'n iawn. Dw i wedi gwneud fy ngorau i Ann, a dw i'n gwybod bod rhaid iddi hi fynd i ffwrdd. Dw i isio iddi hi gael swydd dda. Bydd rhaid i mi lenwi fy mywyd fy hun rhywsut.'

'Wel, mae pob bore dydd Gwener yn llawn gen ti. Cadw'n heini. Dim esgusodion! Basai'n syniad da i ti ddechrau chwarae golff hefyd.'

---

amddiffyn	to protect, to defend	difetha	to destroy, to spoil
ar hyd	all through	Duwcs!	Good God!
drwg o ddifri	seriously bad	trwsio	to repair
minlliw (eg)	lipstick	llenwi	to fill
		esgusodion (ll)	excuses

VII

Daeth Daniel adref un diwrnod yn gwenu o glust i glust. Taflodd o ddau docyn ar y bwrdd coffi.

'Dyna ti,' meddai fo. 'Den ni'n mynd i Baris y penwythnos nesa. Cei di gyfle i brynu dillad isa. Dyna beth mae merched yn brynu ym Mharis y dyddiau 'ma, yntê? Ac os bydd ganddon ni amser, awn ni i weld y Mona Lisa hefyd. Wnaeth mymryn o ddiwylliant erioed ddrwg i neb. Paid â gwneud esgus. Dwyt ti ddim yn rhoi blodau yn y capel, nac yn helpu mewn bore coffi, na dim byd fel hynny.'

Roedd Mair yn dwstio'r piano. Roedd ganddi hi gadach yn un llaw, a llun o Ann yn ennill gwobr ganu yn Eisteddfod yr Urdd yn y llaw arall. Trodd hi, heb roi'r llun na'r cadach i lawr.

'Paris! Bobol bach! Y penwythnos nesa? Nac ydw, dw i ddim yn gwneud dim byd yn y capel. Ond beth petasai Ann isio dod adre? Neu beth petasai hi'n ffonio, a chael dim ateb?'

'Yli! Mae'r eneth yn un deg wyth oed, ac yn y coleg. Rhaid i ti beidio ag aros yn y tŷ drwy'r amser, yn edrych ar y ffôn. Dwed wrthi hi ein bod ni'n mynd.'

'Dydi o ddim yn hawdd ei ffonio hi yn y coleg, a dydi Ann ddim yn ffonio adre bob nos Wener. Gwnaeth hi addo gwneud hynny, ond dydi hi byth yn cofio.'

'Wel, sgrifenna ati hi. Mae digon o amser.'

Yn y bws ar y ffordd i'r maes awyr, roedd Mair yn dal i deimlo'n anesmwyth. Roedd hi wedi ysgrifennu a

---

dillad isa (ll)	underwear, lingerie	*diwylliant (eg)*	culture
		cadach (eg)	duster

gofyn i Ann ffonio adref, ond doedd y ffôn ddim wedi canu. Roedd Daniel yn flin wrthi hi am fod mor dawel.

'Os wyt ti'n mynd i fod â dy ben yn dy blu drwy'r amser, gwna i dy adael di yn y gwesty. Af fi i'r *Moulin Rouge*, neu'r *Folies Bergères*, ar fy mhen fy hun.'

Er bod Daniel yn cellwair, roedd Mair yn siŵr y byddai fo'n ei gadael hi yn y gwesty. Felly gwnaeth hi ymdrech i fwynhau'r daith ar yr awyren. Ac wedi iddyn nhw gyrraedd Paris, dechreuodd hi deimlo hen swyn y ddinas. Roedd hi'n cerdded yn dalach am fod pawb yn ei galw'n *madame*. Roedd hi'n meddwl ei bod hi'n drueni nad oedd ei sgert ychydig yn fyrrach, neu yn llawer llaesach. Roedd hi'n hoffi'r gwesty. Pan dechreuodd hi ddadbacio daeth Daniel o'r tu ôl iddi hi a chusanu ei gwar.

'Dwyt ti ddim yn mynd i wisgo'r goban *winceyette* 'na ym Mharis, o bob man? Rwyt ti'n ddelach hebddi hi. Rho hi yn ôl yn dy fag, a phryna i rywbeth gwell i ti fory. Rhywbeth y basai *Parisienne* yn wisgo.'

Doedd Daniel ddim yn swil yn y siop, ond roedd Mair yn swil am ei fod o gyda hi. Fuodd Daniel ddim yn hir yn dewis coban lês ddu iddi hi. Roedd Mair yn crynu wrth feddwl amdani ei hun yn ei gwisgo hi; ond dwedodd y ferch yn y siop fod croen hyfryd *madame* yn gweddu i'r dim i'r goban. Roedd hi a Daniel yn perswadio'n gryf, ac ildiodd Mair.

Meddyliodd hi wedyn am gael anrheg i Ann. Roedd Daniel eisiau prynu coban fel un Mair i'w ferch.

dy ben yn dy blu	downcast	*dadbacio*	to unpack
cellwair	to joke	*gwar (egb)*	nape of the neck
ymdrech (egb)	effort	*crynu*	to tremble
swyn (eg)	charm	*gweddu i'r dim*	to suit perfectly
llaes	slack, loose		

'Dw i'n meddwl bod coban fel hon yn rhy hen iddi hi,' meddai Mair. Doedd hi ddim yn siŵr ei bod hi'n hoffi'r goban ddu. Roedd hi'n meddwl am ei rhoi hi i Ann ar ôl blwyddyn neu ddwy wedi iddi hi adael y coleg.

Cafodd Mair bleser mawr wedyn wrth ddewis gŵn nos o sidan fermiliwn i Ann.

Cafodd hi a Daniel ginio yn Montmartre. Roedd y cig eidion a'r gwin coch yn flasus iawn. Roedden nhw wrth eu bodd yng nghanol bywyd prysur Paris. Galwon nhw mewn *tabac* i gael cwpanaid o goffi cryf. Cerddon nhw yn ôl i'r gwesty fel dau gariad. Ac y noson honno carodd y ddau efo angerdd. Roedd Daniel yn falch bod ei gynllun wedi llwyddo; ond roedd Mair yn gwybod mai dim ond llenwi gwacter roedd hi. Roedd hi'n newynu am gariad a charodd hi fo.

Roedd hi'n dal i deimlo'n sentimental yn yr awyren ar y ffordd adref.

'Gwnes i fwynhau fy hun, wedi'r cwbl,' meddai hi wrth Daniel. 'Trueni na chawson ni amser i weld y Mona Lisa, hefyd.'

'Dim ots,' meddai Daniel yn hwyliog. 'Cei di ddod eto. Rwyt ti'n mynd i fyw'n wahanol rŵan. Does dim rhaid i ti gropian o gwmpas y tŷ fel rhyw grachen ludw trwy'r amser.'

'Crachen ludw?'

'Wel, ie. Ddwedais i ddim dy fod ti'n edrych fel un, naddo? Ond mae'n bryd i ti wneud y gorau ohonot ti dy

angerdd (eg)	passion	*wedi'r cwbl*	after all
cynllun (eg)	plan	*yn hwyliog*	good-naturedly
gwacter (eg)	vacuum, emptiness	*cropian*	to creep
newynnu	to hunger	*crachen ludw (eb)*	wood louse

hun. Dylet ti brynu dillad a dod i'r Clwb a mynd i ddosbarth nos. Beth am ddysgu Ffrangeg?'

Yng nghefn ei meddwl, roedd Mair yn gweld crachen ludw, lwyd yn cropian ar hyd y llawr, heb wybod i le roedd hi'n mynd na pham. Cysgodd hi am dipyn ar yr awyren, tra oedd Daniel yn darllen ei bapur. Roedd y ddau'n falch o gyrraedd adref.

Aeth Mair yn syth at y peiriant ateb. Roedd llawer o negeseuon busnes i Daniel, ac un neges i'r ddau ohonyn nhw, llais Ann yn dweud 'o, dim ots'.

VIII

Cafodd Daniel nifer o wythnosau prysur yn y swyddfa. Roedd y cwmni yn newid ei system gyfrifiadurol. Gofynnodd Daniel i'r staff i gyd weithio'n hwyr dros y cyfnod pontio. Roedd o ei hun yn gweithio bob nos, ac yn cael bwyd yn y dref. Roedd mwy o oriau hamdden gan Mair bob dydd. Gwnaeth hi bwdin Nadolig, a llanwodd hi'r rhewgell â phrydau parod. Doedd dim digon o waith ganddi hi i lenwi ei diwrnod, a dechreuodd hi dreulio mwy o amser yn yfed coffi ac yn darllen y papur. Daeth hynny'n rhywbeth i'w wneud i lenwi'r amser. Yna daeth yn bwrpas ynddo ei hun.

Dechreuodd hi deimlo'n flin ei bod hi wedi gadael ei swydd. Roedd hi wedi mwynhau ei gwaith yn yr ysgol

---

system gyfrif-
iadurol (eb)   computer system

cyfnod pontio (eg) bridging period
prydau parod (ll) ready meals

pan oedd Ann yno. Ond pan aeth Ann i'r ysgol gyfun, newidiodd pethau. Doedd Daniel ddim yn hoffi gweld Mair yn mynd allan i weithio. Doedd yr oriau ddim yn werth y cyflog, meddai fo. Roedden nhw hefyd wedi symud tŷ, ac roedd gan Mair lawer iawn o waith yn dewis celfi, carpedi a llenni. Gadawodd hi ei gwaith gan feddwl cael swydd ar ôl gwneud y tŷ. Wedyn, oedodd hi fynd yn ôl. Yn y diwedd, anghofiodd hi ei bod hi'n chwilio am swydd newydd.

Ond rŵan, roedd hi'n teimlo bod ei bywyd yn wag.

I wneud pethau'n waeth, roedd y dyddiau'n byrhau, a'r haul yn mynd yn wannach. Ar ddiwrnod cymylog doedd hi ddim yn goleuo'n iawn tan ganol y bore. Daeth Mair i edrych ymlaen at y cadw'n heini ar ddydd Gwener, ac roedd hi'n dechrau teimlo'n un o'r dosbarth. A byddai Pat yno, bob amser yn hapus ac yn barod am sgwrs. Roedd Pat yn hoffi cogio ei bod hi'n ddigalon iawn. Byddai hi'n gwneud drama fawr o rywbeth bach, ac wedyn chwerthin yn uchel. Y tro 'ma, roedd hi'n drist iawn am ei bod hi'n cael ei phen-blwydd yn bedwar deg. Roedd hi'n wynebu canol oed, os nad henaint diymadferth. Roedd rhaid i Mair gysuro ei ffrind. Gwahoddodd hi Pat i ginio yn y bistro.

Roedd y bistro'n lle gwych am sgwrs. Cafodd o ei agor pan oedd Capel Soar yn cau. Roedd seddi'r capel ar werth am bris rhesymol iawn a chawson nhw eu gwerthu i berchennog y bistro. Roedd y seddi pren

ysgol gyfun	comprehensive school	*goleuo*	to lighten, to light
gwerth y cyflog	worth the wage	*cogio*	to pretend
llenni (ll)	curtains	*henaint (eg) diymadferth*	helpless old age
oedi	to hesitate, to put off	*cysuro*	to comfort
		perchennog (eg)	owner

efo'u clustogau coch rŵan yn y bistro. Roedd y cwsmeriaid yn hoffi cuddio mewn sedd yn y gornel lle roedden nhw'n medru siarad yn gyfrinachol. Dewisodd Pat a Mair fwrdd yn y gornel oedd yn cael ei oleuo gan ddwy gannwyll. Dechreuodd Mair siarad am ben-blwydd Pat.

'Dw i ddim yn deall pam rwyt ti'n cwyno. Aros di nes byddi di yr un oed â fi!'

'Beth ydi pum mlynedd? Beth bynnag, rwyt ti'n edrych yn ifancach. Dwyt ti ddim mor dew â fi.'

'Bydda i'n denau a sych, fel hen afal, a byddi di fel eirinen wlanog nes byddi di'n saith deg oed. O ddifri, sut ben-blwydd rwyt ti'n gael?'

'Wel,' meddai Pat, 'rwyt ti'n gwybod sut mae hi yn ein tŷ ni. Roedd Ifan a'r hogiau yn cogio nad oedd dim byd yn digwydd. Ro'n nhw'n holi ei gilydd pa ddiwrnod oedd heddiw, ac yn ateb yn ddiniwed nad oedd hi'n ddiwrnod arbennig. Ond pan es i i wneud y gwelyau, ces i hyd i dusw o rosod yn y llofft. Ifan oedd wedi eu rhoi nhw yno. Dw i ddim yn gwybod sut roedd o wedi eu smyglo nhw i mewn i'r tŷ.'

Aeth Pat ymlaen i holi Mair am ei phenwythnos.

'Ond mae rhai pobl yn cael trip i Baris, a den nhw ddim yn dathlu eu pen-blwydd chwaith! Tyrd, dwed yr hanes.'

'Wel, buon ni ym Mharis.'

'Ie, a beth arall?'

'Gwelson ni Dŵr Eiffel.'

---

clustogau (ll)	cushions	yn ddiniwed	innocently
yn gyfrinachol	secretly	tusw o rosod (eg)	a bouquet of
cannwyll (eb)	candle		roses
eirinen wlanog (eb)	peach		

'Ie, a beth arall?'

'Buon ni ym Montmartre.'

'Ie, a beth arall? Paid â bod mor wirion, Mair Edwards! Dwed yr hanes! Beth ddigwyddodd? Oedd o'n rhamantus? Fuoch chi'n siopa? Gest ti goban fach lês ddu?'

'Sut ro't ti'n gwybod?'

'Aha. Nid ddoe ces i fy ngeni. Ro'n i'n gwybod y basai Daniel yn gwneud y peth iawn. Mae rhai pobl yn cael y lwc i gyd. Ond dwyt ti ddim yn edrych fel petaset ti wedi ennill y loteri. Pam?'

'O, dw i ddim yn gwybod. Doedd gen i ddim cymaint â hynny o awydd mynd i ffwrdd.'

'Pam, neno'r tad? Do't ti ddim yn anesmwyth am Ann?'

'O'n, tipyn bach.'

'Mae'n rhaid i ti stopio hyn. Does gen ti ddim rheswm i boeni, nac oes?'

'Wel, oes, a dweud y gwir. Tra buon ni i ffwrdd roedd hi wedi ceisio rhoi neges ar y peiriant ateb, ac wedi newid ei meddwl. Y neges oedd "dim ots".'

'Wel, dydi hynny'n ddim byd. Dw i wedi gwneud yr un peth fy hun. Mae'n gas gen i'r hen bethau 'na. Mae Ann yn iawn, dw i'n siŵr. Mae hi'n cael amser gorau ei bywyd.'

'Ydy, siŵr o fod; ddylwn i ddim difetha dy ben-blwydd di wrth fynd o flaen gofid fel hyn.'

Trodd y sgwrs at bethau ysgafnach. Ar ôl iddyn nhw orffen cofiodd Pat yn sydyn bod rhaid iddi hi fynd i gael ei gwallt wedi'i dorri. Cododd Mair i nôl y cotiau glaw o'r stand, ond daeth Pat yn gyflym i'w rhwystro

---

nôl   to fetch   *rhwystro*   to prevent

hi. Roedd hi'n rhy hwyr. Roedd Mair wedi gweld Daniel, yn eistedd â'i gefn ati ar fwrdd mewn cornel arall o'r bistro.

Welodd o mohoni hi. Ond roedd menyw yn eistedd gyferbyn â fo, ac roedd ei hwyneb tuag at Pat a Mair. Rhewodd hi pan welodd hi nhw. Am funud, cadwodd hi ei llygaid ar ei phlât. Yna edrychodd hi i'r pellter yn cogio nad oedd hi'n adnabod neb. Rhoddodd Pat ei braich dros ysgwydd Mair, a'i throi yn frysiog at y drws. Y tu allan, meddyliodd Pat eto. Hwyrach mai cael cinio busnes hollol ddiniwed roedd Daniel a'r fenyw.

'O't ti'n ei hadnabod hi?' gofynnodd Pat.

'O'n,' meddai Mair yn boenus. 'Glenys, mam Dylan ydi hi.'

IX

Daeth Daniel adref yn gynharach nag arfer y noson honno, a buodd rhaid i Mair frysio i wneud swper. Roedd hi'n dal i feddwl am y beth ddigwyddodd amser cinio. Roedd hi'n methu penderfynu a ddylai hi godi'r pwnc neu beidio. Y cwestiwn oedd, a oedd Daniel yn gwybod ei bod hi wedi ei weld o efo Glenys? Os oedd o'n gwybod, byddai'n rhaid iddo fo ddweud rhywbeth neu byddai fo'n ymddangos yn euog. Byddai hi'n edrych yn od pe na fyddai hi'n dweud ble cafodd hi ginio. Roedd y peth fel chwarae gwyddbwyll.

---

cynharach	earlier	*euog*	guilty
a ddylai hi . . .	whether she	*gwyddbwyll (eb)*	chess
neu beidio	should . . .or not		

Fuodd dim rhaid iddi hi ddechrau sgwrs wedi'r cwbl. Canodd y ffôn. Roedd Mair wrth ei bodd pan glywodd hi lais Ann ar y lein.

'Ann, 'nghariad i! O'r diwedd! Wyt ti'n iawn? O, dw i wedi bod yn poeni. Ro'n i isio gwybod dy fod ti'n iawn. Sut mae'r bwyd? Oes gen ti ddigon ar dy wely? Fedri di siarad yn uwch? Dw i ddim yn medru dy glywed di'n dda iawn. Wyt ti'n siŵr dy fod ti'n iawn?'

'Ydw, dw i'n iawn. Peidiwch â gwneud ffŷs. Fedrwch chi ofyn i Dad anfon arian ata i? Mae popeth yn ofnadwy o ddrud.'

'Wel, gwnaf wrth gwrs. Mae rhaid i ti gael digon o arian. Cei di siarad efo Dad rŵan. Beth os down ni i dy weld di ddydd Sadwrn, a dod â'r arian efo ni. Wnei di ein cyfarfod ni wrth ddrws Neuadd Pantycelyn, tua dau o'r gloch? Iawn. Dyma Dad rŵan.'

Buodd yr alwad ffôn yn help i chwalu'r awyrgylch boenus. Ar ôl rhoi'r ffôn i lawr, siaradodd Daniel â'i hwyl arferol.

'Mae'n rhaid bod Ann yn cael bywyd da iawn efo'r holl arian 'na. Ro'n i wedi rhoi mwy na digon iddi hi am un tymor. O wel, dw i ddim yn cwyno. Rŵan ydi ei hamser hi. Dw i'n clywed bod Dylan yn dal i ymweld â hi, hefyd. Rhoddais i ginio i'w fam heddiw, am ei bod hi wedi gwneud gwaith da iawn i'r cwmni. Mae hi wedi bod yn rhedeg 'nôl ac ymlaen rhwng fy swyddfa i a swyddfa'r pensaer. Roedd hi'n dweud bod Dylan yn gwneud esgus i fynd i Aberystwyth trwy'r amser.'

Cymerodd Mair funud neu ddau cyn ateb.

'Ie, roedd Pat a fi yn y bistro hefyd.'

---

uwch	louder	*pensaer (eg)*	architect
chwalu	to shatter		

Roedd Mair wrth ei bodd pan ddaeth dydd Sadwrn. Gwisgodd hi yn ffwrdd-â-hi mewn slacs ac anorac. Er hynny, roedd hi'n teimlo'n rhyfedd ynghanol y bobl ifanc ar y campws. Roedden nhw'n brysio o un lle i'r llall. Safodd Daniel a Mair wrth ddrws y neuadd am dipyn o amser yn edrych a gwrando; ond gyrrodd yr oerni nhw i mewn i'r cyntedd. Doedd dim sôn am Ann.

Ond roedd Dylan yno, yn darllen yr hysbysfwrdd. Aeth Daniel ato fo a rhoi ei law ar ei ysgwydd.

'Wel, wel, wyt ti 'ma ar yr un neges â ni?'

Neidiodd Dylan mewn sioc.

'O, Mr Edwards. Helô, Mrs Edwards.'

'Wyt ti wedi dod i weld Ann?'

'Ydw, wel ro'n i'n gobeithio ei gweld hi. Mae'n ddrwg gen i – do'n i ddim yn gwybod ei bod hi'n eich disgwyl chi.'

'Trefnon ni bopeth yn sydyn, am ei bod hi eisiau rhywbeth o'r tŷ. Ydi hi'n gwybod dy fod ti 'ma?'

'Ydi. Nac ydi. Hynny ydi, mae hi'n gwybod 'mod i'n arfer dod yr amser 'ma. Medra i aros tan heno os dech chi'n mynd â hi allan.'

'O na! Den ni ddim isio dod rhwng dau gariad! Awn ni i gyd am dro efo'n gilydd am ryw awr neu ddwy. Wedyn aiff Mair a fi, a gadael i chi'r ifainc fwynhau eich hunain. Cadw di drefn ar yr hogan, dyna'r cwbl ddweda i!'

Roedd Daniel yn mwynhau chwarae rhan y tad rhyddfrydig. Edrychodd Dylan ar Daniel yn ofalus i wneud yn siŵr mai cellwair roedd o. Roedd Dylan yn

ffwrdd-â-hi	casually	*trefnu*	to arrange
dim sôn am Ann	no sign of Ann	*trefn (eb)*	order
hysbysfwrdd (eg)	notice-board	*rhyddfrydig*	liberal

falch o weld criw o ferched yn dod i lawr y coridor. Edrychodd y tri i weld oedd Ann efo nhw; ond doedd hi ddim yno. Roedd Mair yn cofio'r eneth hwyliog efo'r gwallt coch.

'Jini dech chi, yntê? Dw i'n cofio'ch cyfarfod chi y diwrnod cynta.'

'Ie. Dech chi'n chwilio am Ann?'

'Yden, roedd hi wedi addo dod i lawr. Gwell i ni fynd i fyny i'w hystafell hi.'

'Does dim rhaid i chi fynd yno. Af i i'w nôl hi i chi.'

A rhedodd Jini yn gyflym i fyny'r coridor. Dechreuodd Mair fynd ar ei hôl hi, ond rhoddodd Dylan law ar ei braich.

'Gadewch i Jini fynd. Mae hi'n arfer rhedeg yr hen goridorau 'ma.'

Roedd Daniel am gymryd pob cyfle i gymdeithasu â Dylan.

'Wyt ti'n nabod y genethod 'ma i gyd?'

'Nac ydw, dw i ddim yn Casanofa. Ond dw i'n gweld Jini'n eitha aml pan dw i'n dod i weld Ann.' Edrychodd o'n falch pan ddaeth Jini'n ôl.

'Fydd Ann ddim yn hir,' oedd neges Jini. 'Dewch i eistedd yn rhywle mwy cysurus.'

Doedd Mair ddim yn siŵr.

'Ond beth yn y byd mae Ann yn wneud?'

'Mae hi'n gwisgo.'

'Yr amser 'ma o'r dydd? Rŵan mae hi'n codi?'

'Wel, den ni'n hoffi diogi ar fore Sadwrn a darllen yn ein gwelyau. Mae'n well na mynd allan i'r oerni.'

Aeth y sgwrs ymlaen yn araf am hanner awr. Roedd Mair yn protestio bob hyn a hyn. Wedyn byddai Jini yn

---

diogi   to idle

ei sicrhau hi y byddai Ann yn siŵr o ddod cyn hir. Pan ddaeth Ann o'r diwedd, roedd golwg frys arni hi. Roedd ei gwallt yn wlyb, ac roedd gormod o golur ar ei llygaid. Aroglodd Mair y mwg a'r mintys poethion.

X

Roedd y Clwb ar ei orau amser Nadolig. Roedd coeden uchel yn y cyntedd, yn llawn o aur a thinsel. Yn yr ystafell fawr, roedd tân braf yn llosgi yn y grât fawr. Llynedd byddai Mair wedi bod wrth ei bodd yn cael gwahoddiad i ginio efo'r elît; ond heno, doedd hi ddim yn medru codi hwyl.

Roedd hi'n siomedig ac yn bryderus. Ers wythnosau roedd hi wedi hiraethu am Ann ac wedi edrych ymlaen at ei chael hi adref dros y Nadolig. Ond erbyn hyn roedd Ann wedi mynd yn bell mewn mwy nag un ystyr. Roedd hi'n dawel iawn y prynhawn hwnnw yn Aberystwyth. Doedd te mewn gwesty ar y Prom ddim wedi codi hwyl arni hi. Pan oedd hi'n blentyn ysgol roedd hi'n arfer treulio dyddiau cyn y Nadolig yn y gegin yn helpu gwneud mins peis. Doedd hi ddim yn debyg y byddai hi'n gwneud hynny eleni.

A doedd Daniel ddim yn cydymdeimlo â Mair. Yn wir, doedd o ddim yn gweld y broblem. Roedd o'n

roedd golwg frys arni hi	she looked hurried, she wore a hurried look	*grât fawr (eb)*	big fireplace
		mewn mwy nag un ystyr	in more ways than one
mintys poethion (ll)	peppermints	*codi hwyl arni hi*	to raise her spirits
		treulio dyddiau	to spend days

siarad yn falch am 'y ferch acw yn Aber' ar bob cyfle. Doedd o ddim yn poeni ei bod hi'n gofyn am arian trwy'r amser. Roedd o'n falch o roi'r arian iddi hi. Doedd ganddo fo ddim amynedd â theimladau Mair.

'Rhaid i ti ollwng gafael ar Ann a gwneud rhywbeth gyda dy fywyd dy hun,' meddai fo wrthi hi am y canfed tro. Roedd Mair yn amau bod Daniel eisiau gollwng ei wraig o hefyd. Ers y cinio yn y bistro, roedd rhywbeth heb ei ddweud rhyngddyn nhw. Doedd Mair ddim yn falch bod Glenys a Wiliam ei gŵr yn mynd i fod yn y parti cinio yn y Clwb.

Fel digwyddodd pethau, cawson nhw eu rhoi i eistedd gyda'i gilydd, Mair wrth ochr Wiliam, a Glenys gyferbyn, wrth ochr Daniel. Prynodd Daniel botelaid o win rhwng y pedwar ohonyn nhw.

'Wedi'r cwbl,' meddai fo gyda gwên fach, 'hwyrach y byddwn ni'n rhannu sawl potelaid o win yn y dyfodol, os dw i'n darllen yr arwyddion yn iawn.'

'Pam? O, o achos ein plant, dyna beth dych chi'n feddwl. Wel, ie, pwy a ŵyr? Oes rhywun yn gwybod rhywbeth nad ydw i'n wybod?' gofynnodd Wiliam yn gellweirus.

'Dwyt ti ddim wedi sylwi pa mor aml mae Dylan yn mynd i Aber?' meddai Glenys. 'Ond maen nhw'n ifanc eto yntydyn? Bydd y ddau ohonyn nhw wedi cael llawer o gariadon cyn priodi, dw i'n siŵr. A ddylwn i ddim hyd yn oed sôn am briodi, y dyddiau 'ma. Byw tali ydi'r peth, medden nhw. Sut mae Ann yn hoffi'r coleg?'

y ferch acw yn Aber	our lass in Aber
amynedd (eg)	patience
gollwng gafael	to let go
heb ei ddweud rhyngddyn nhw	unsaid between them
arwyddion (ll)	signs
sylwi	to notice
byw tali	to live together

Atebodd Daniel cyn i Mair gael cyfle.

'O, gwych. Mae hi wedi gwneud ffrindiau ac yn brysur trwy'r amser. Mae'n anodd ei chael hi oddi ar ei llyfrau ar ddydd Sadwrn.'

'Pryd dech chi'n ei disgwyl hi adre?'

'Dydi hi ddim wedi dweud yn bendant, ond den ni'n gobeithio mynd i'w nôl hi ddydd Sadwrn nesa.'

'Dech chi'n edrych ymlaen, dw i'n siŵr. Mae'r cawl 'ma'n eitha blasus, yntydi?'

Wedi i Glenys newid y pwnc, aeth pethau'n dawel. Roedd Mair yn swil yng nghwmni Wiliam, ac roedd y ddau'n eistedd yn unionsyth ar eu cadeiriau. Roedd iaith gorfforol Glenys a Daniel yn fwy ymlaciedig, ac yn awgrymu eu bod nhw'n adnabod ei gilydd yn dda. Ar ôl tipyn aeth Glenys a Daniel i ddawnsio. Esboniodd William nad oedd o'n gallu dawnsio gan ei fod o wedi brifo ei gefn wrth chwarae sboncen. Cysurodd Mair o gan ddweud ei bod hi'n brifo hefyd ar ôl cadw'n heini. Yn araf, ymlaciodd y ddau yng nghwmni ei gilydd.

'Cawn ni ddiogi yma ac edrych ar ein partneriaid egnïol', meddai William. 'Rhaid i mi ddweud, maen nhw'n symud yn berffaith efo'i gilydd, yntyden? Beth am wydraid arall o win?'

Ar y ffordd adref, roedd Daniel yn llawn hwyl.

'Noson dda, yndoedd? Mae tipyn o gymdeithasu yn helpu busnes yn fawr. Beth wyt ti'n meddwl wnaiff Dylan ar ôl gorffen yn y coleg? Mae ganddo fo ddigon

---

unionsyth	erect, upright	*awgrymu*	to suggest
iaith	body language	*sboncen (eb)*	squash (game)
gorfforol (eb)			

yn ei ben, dw i'n siŵr. Os aiff o i mewn am y gyfraith, dylai fo fod yn llwyddiannus iawn.'

'Mae'n bosib, ond mae Ann yn llawer rhy ifanc i feddwl am gariad. Dim ond rŵan mae hi'n gadael yr ysgol! Dw i ddim yn meddwl ei bod hi'n barod i fod oddi cartre. Roedd hi'n edrych yn denau iawn pan welon ni hi. Dw i'n gobeithio y gwnaiff hi fwyta dipyn dros y Nadolig.'

Roedd meddyliau'r ddau yn bell oddi wrth ei gilydd.

XI

Roedd Rhagfyr yn fis prysur i Daniel, ac aeth Mair ar ei phen ei hun i nôl Ann. Cafodd hi 'fenthyg' y car mawr, er mwyn cael lle i bopeth. Gyrrodd hi'n gyflym ac roedd hi wedi cyrraedd Aberystwyth cyn canol dydd. Penderfynodd hi fynd ag Ann allan i ginio. Ceisiodd hi feddwl am westy lle byddai tân coed mawr, a chadeiriau esmwyth, a choffi da. Byddai hynny'n siŵr o helpu Ann i ymlacio ac i siarad, i gael sgwrs iawn am unwaith.

Roedd cinio'n barod yn Neuadd Pantycelyn, ond doedd neb yn y ffreutur. Cerddodd Mair drwy'r ffreutur wag ac i fyny'r grisiau am ystafell Ann. Cnociodd hi ar y drws, ond chafodd hi ddim ateb. Cnociodd hi eto a throi'r dwrn. Roedd y drws dan glo. Aeth hi i lawr y grisiau lle gwelodd hi griw o fyfyrwyr.

---

oddi cartre	from home	*ffreutur (eb)*	canteen, refectory
meddyliau (ll)	thoughts	*dwrn (eg)*	handle
cael benthyg	to borrow	*dan glo*	locked

'Dech chi wedi gweld Ann Edwards o gwmpas?' gofynnodd hi i un ohonyn nhw.

'Nac ydw, ddim heddiw. Mae hi'n rhy gynnar eto, yntydi?' atebodd y ferch gan hanner gwenu.

Pan gyrhaeddodd Mair ystafell Ann am yr ail dro, roedd hi'n falch o weld Jini'n dod allan o'r drws gyferbyn.

'Nac ydw, dw i ddim wedi gweld Ann heddiw, ond dw i'n siŵr ei bod hi yn ei hystafell. Hwyrach nad ydi hi wedi eich clywed chi'n cnocio. Ond, mae gen i ffordd o wneud iddi hi glywed.'

Tynnodd Jini ei hagoriad ei hun o'i drws. Yna defnyddiodd hi'r agoriad i grafu ar ddrws Ann gan wneud sŵn ofnadwy.

'Ann, mae dy fam 'ma,' gwaeddodd hi. 'Wyt ti'n clywed? Dy fam. Nac oes, does neb arall 'ma. Does dim ots os wyt ti'n flêr. Agor y drws.'

Yna, trodd hi a gwenu'n llipa.

'Rhown ni ddau funud iddi hi i hel ei hun at ei gilydd, ie?'

'Oes rhywbeth yn bod arni hi, Jini?'

'Nac oes, dw i ddim yn meddwl. Dydi hi ddim yn un dda yn y bore, nac ydi?'

'Dydi hi erioed wedi bod mor wael â hyn.'

Agorodd y drws. Trodd Mair i ddiolch i Jini, ond roedd hi wedi mynd. Aeth Mair i mewn, a chaeodd Ann y drws a'i gloi ar unwaith. Roedd golwg swrth a blêr arni hi, fel pe byddai hi wedi gwisgo'r peth cyntaf a welodd hi. Roedd hi mewn siwmper fawr lwyd a llaes

crafu	to scratch	*hel ei hun at*	to get herself
blêr	untidy	*ei gilydd*	together
yn llipa	limply	*swrth*	sullen

49

oedd yn cyrraedd hanner ffordd i lawr ei choesau. Doedd hi ddim yn gwisgo colur ac roedd hi'n edrych yn flinedig. Roedd arogl cryf o fwg yn y lle.

'Beth yn y byd sy'n bod?' Edrychodd Mair ar y llyfrau a ffeiliau, y caniau cwrw gwag, a'r dillad glân a budr ar y llawr. Roedd y blychau llwch yn gorlifo.

'Dim byd. Pam?'

'Wel, dwyt ti ddim wedi pacio.'

'Dw i ddim wedi cael amser.'

'Wyt ti'n sâl?'

'Nac ydw. Dw i wedi blino. Mae hi'n ddiwedd tymor.'

'Rhaid i ti ddod adre'n syth, i ti gael digon o fwyd a gorffwys.'

'Dw i ddim isio bwyd a gorffwys. Beth bynnag, dw i ddim yn barod.'

'Tyrd i mi gael dy helpu di. Sortia di'r llyfrau a phacia i'r dillad. Ble mae'r sach dillad budr?'

'Dw i ddim yn gwybod. Mae hi 'ma yn rhywle. Dw i ddim yn barod, Mam. Dof i yn nes ymlaen.'

'Pryd?'

'Pan fydda i'n barod. Prynhawn 'ma.'

'Mae hi'n brynhawn rŵan, a bydd hi'n dywyll cyn byddwn ni adre. Cofia mai fi sy'n gyrru.'

'Wel, ewch chi, 'te. Dof i efo Dylan.'

'Ydi Dylan yn dod 'ma? Pryd?'

'Dw i ddim yn cofio pryd. Ond mae o'n siŵr o ddod.'

'Wel dw i ddim yn symud o'r lle 'ma nes bydd Dylan 'ma, a byddwn ni wedi tacluso'r lle, a byddi di wedi cael rhywbeth i'w fwyta.'

budr	dirty (GC) *brwnt*	*gorlifo*	to overflow
blwch llwch (eg)	ash tray	*gorffwys (eg)*	rest

50

Roedd Mair yn ddiolchgar iawn nad oedd Daniel wedi dod efo hi, a bod Dylan ar ei ffordd. Cyn hir daeth rat-tat-tat-tat ar y drws. Roedd Ann yn adnabod y rhythm ac agorodd hi'r drws. Dylan oedd yno. Roedd Mair yn meddwl ei fod o'n edrych flynyddoedd yn henach na'r tro diwethaf iddi hi ei weld o.

'Peidiwch â phoeni, Mrs Edwards. Dof i ag Ann adre pan fydd hi'n barod.' Helpodd o roi'r llyfrau a'r dillad budr yn y BMW, ac roedd rhaid i Mair yrru adref heb gwmni. Roedd hi'n dechrau mynd yn dywyll. Wylodd Mair wrth weld y coed llonydd yn erbyn yr awyr lwyd.

XII

'Mair, ble mae fy nhei i?'

'Mae o yn y drôr fach yn y wardrob. Ydi heno'n mynd i fod yn noson fawr? Ddylwn i wisgo fy sgert felfed ddu?'

'Dylet. Dwyt ti ddim yn cael digon o gyfle i wisgo i fyny. Bydd pawb yn y Siambr Fasnach 'na. Ydi Ann yn barod?'

'Mae hi'n cofio ein bod ni'n mynd allan. Gwell i fi roi cnoc arall ar ei drws fallai.'

Safodd Mair wrth y drws. Edrychodd hi ar y plàc 'llofft Ann' roedd hi wedi ei brynu mewn siop grefftau flynyddoedd yn ôl. Doedd hi ddim wedi meddwl y byddai Ann yn manteisio ar y neges, ond dyna beth

wylo	to cry, weep	*y Siambr*	The Chamber of
llonydd	still	*Fasnach (eb)*	Commerce
		manteisio	to take advantage of

oedd yn digwydd. Roedd Ann yn mynnu cadw ei llofft iddi hi ei hun, a byddai hi'n clochdar fel robin goch pan oedd rhywun yn dod yn agos.

Meddyliodd Mair am yr holl amser roedd hi wedi ei dreulio yn cnocio ar y drws 'ma.

'Mae'r ystafell ymolchi'n rhydd i ti,' meddai hi. Doedd hi ddim eisiau dweud wrth Ann am frysio. 'Mae Dad a fi'n mynd i lawr y grisiau. Awn ni i'r Clwb y munud byddi di'n barod.'

Aeth Daniel allan i nôl y car o'r garej. Daeth o yn ôl a sefyll ynghanol y lolfa yn edrych ar ei wats ac yn symud o un droed i'r llall.

'Beth yn y byd mae hi'n wneud?'

'Mae digon o amser. Rho ddeg munud arall iddi hi.'

'Neno'r tad, mae hi wedi cael drwy'r dydd. Pam na faset ti wedi galw arni hi cyn rŵan?'

'Mae hi wedi blino. Dydi o ddim yn deg i ofyn iddi hi frysio, mae hi ar ei gwyliau.'

'Ond dydi hi ddim wedi gwneud dim ers iddi hi ddod adre, hyd y gwela i,' meddai Daniel yn flin.

'Mae arna i ofn ei bod hi'n gweithio'n rhy galed yn y coleg.'

'Dyna ti eto, yn gwneud esgus drosti hi.'

Aeth o i waelod y grisiau a gweiddi.

'Ann, beth rwyt ti'n wneud? Wyt ti'n gwnïo dy ffrog? Brysia, wnei di! Hoffet ti i dy fam ddod i helpu?'

Agorodd drws y llofft a daeth Ann linc-di-lonc i lawr y grisiau. Trodd dau wyneb pryderus i edrych arni hi.

mynnu	to insist	*hyd y gwela i*	as far as I can see
clochdar	to cackle	*gwnïo*	to sew
treulio	to spend (time)	*linc-di-lonc*	slowly, leisurely
un droed i'r llall	one foot to the other		

Trodd y ddau wyneb yn wyn. Roedd hi'n gwisgo legins du, crys pêl-droed glas a gwyn, a siaced Michelin goch. Sylwodd Mair fod y minlliw piws wedi ei daenu'n flêr.

'Ann, cariad, fedri di ddim mynd i'r cinio Nadolig fel 'na! Ble mae dy ffrog orau di? Os oes angen ei smwddio hi, fydda i ddim dau funud.'

Ond torrodd Daniel ar ei thraws.

'Dwyt ti ddim yn mynd i smwddio dim byd iddi hi. Awn ni hebddi hi. Tyrd, neu byddwn ni'n hwyr. A gobeithio,' meddai fo wrth Ann, 'y bydd gwell trefn arnat ti pan ddown ni adre. Bydda i isio i ti egluro pam rwyt ti'n bihafio fel hyn.'

Rhoddodd Daniel ei law dan benelin Mair a'i hebrwng drwy'r drws. Trodd Mair ei phen yn ôl a dweud, 'Cofia gael swper. Mae cig oer yn yr oergell, a digon o bethau i wneud salad.'

Ddwedodd Daniel na Mair yr un gair ar y ffordd i'r Clwb. Wedi iddyn nhw barcio'r car dwedodd Daniel,

'Bydd rhaid i ni ymddiheuro dros Ann a dweud ei bod hi wedi cael annwyd. A bydd rhaid i ni ddangos ein bod ni'n mwynhau ein hunain.'

Roedd Mair yn gwisgo ei gwên ufudd drwy'r nos. Erbyn amser mynd adref, roedd hi'n teimlo bod y wên wedi ei gludio wrth ei hwyneb.

---

taenu	to spread	*dan benelin Mair*	under Mair's
torri ar draws	to interrupt		elbow
egluro	to explain	*gwên ufudd (eb)*	obedient smile
		gludio	to glue

53

XIII

Roedd Mair bob amser yn mwynhau noswyl Nadolig. Roedd hi'n cael pleser o wybod ei bod hi wedi prynu'r anrhegion i gyd. Roedd yn braf gwybod bod y bwyd i gyd wedi ei brynu a'i roi yn yr oergell. Roedd hi'n hoffi'r aroglau melys yn y gegin wrth iddi hi wneud y stwffin. Roedd y goleuadau bach coch a gwyrdd ar y popty yn taflu cynhesrwydd i'r ystafell, wrth iddi hi wrando ar garol hyfryd ar y radio'.

Ond doedd y Nadolig hwn ddim yn un arferol. Roedd tri diwrnod wedi mynd heibio ers noson y cinio, ac roedd Daniel ac Ann wedi bod yn dawel. Roedd Mair yn meddwl bod Ann yn pwdu, achos bod ei rhieni wedi mynd allan hebddi hi; ond roedd Ann yn gwadu hynny. Doedd hi ddim isio mynd i ryw hen ginio sych beth bynnag. Llonydd roedd hi ei isio, meddai hi. Doedd hi ddim isio gwisgo i fyny fel rhyw hen fuwch ddosbarth canol. Roedd Mair wedi protestio am yr iaith. Roedd hi hefyd wedi cwyno am y llanast wnaeth Ann yn y gegin y noson honno wrth wneud ei swper. Roedd Ann wedi pwdu'n fwy wedyn. Aeth haul Mair dan gwmwl.

A doedd Daniel ddim yn gysur iddi hi. Yn wir, roedd o'n ei beio hi am ymddygiad Ann.

'Rwyt ti wedi gwneud gormod iddi hi, wedi ei difetha hi.'

---

noswyl	Christmas Eve	*gwadu*	to deny
Nadolig (eb)		*llonydd (eg)*	peace
popty	oven	*llanast (eg)*	mess
cynhesrwydd (eg)	warmth	*ymddygiad (eg)*	behaviour
pwdu	to sulk		

'Fi'n ei difetha hi? Ti sy'n gwario arian mawr arni hi.'

'Ie, ond dim ond pan mae hi'n ei haeddu o, pan mae hi'n gwneud yn dda, ac yn enwedig pan mae hi'n bihafio'n iawn. Dw i'n credu mewn gwobrwyo ymdrech. Ond dw i ddim yn gwybod beth sy wedi dod drosti hi'n ddiweddar. Dydi hi ddim fel petasai hi'n trio. Does gen i ddim amynedd efo pobl felly.'

Roedd Mair yn amau nad oedd gan Daniel fawr o amynedd efo'i wraig chwaith. Ond cysurodd hi ei hun y byddai'r hen hwyl yn dod yn ôl dros y Nadolig. Roedd Daniel yn un da am godi hwyl ar adeg felly.

Ac wrth iddi hi dynnu'r mins peis o'r popty, daeth o i'r tŷ efo *poinsettia* a llawer o boteli.

'Mae'r goeden gen i yn y cyntedd. Gwelais i Dylan yn y dre, a gofynnais i iddo fo ddod 'ma i helpu efo'r goleuadau ac i aros i gael swper. Does dim ots gen ti, gobeithio?'

'Nac oes, ond mae'n rhaid iddo fo ein cymryd ni fel ryden ni. Cawl a brechdanau fydd hi heno beth bynnag. Hwyrach y gwnaiff o fywiogi tipyn ar Ann.'

'Dyna oedd gen i mewn golwg. Mae o'n ddymunol iawn, a dw i'n clywed ei fod o'n gwneud yn dda yn y coleg.'

Pan gyrhaeddodd Dylan, roedd ganddo fo barsel bach yn ei law.

gwobrwyo ymdrech	to award effort	*ar adeg felly*	at a time like that
wedi dod drosti	come over her	*bywiogi tipyn ar Ann*	liven Ann up a bit
pobl felly	people like that	*mewn golwg*	in mind
fawr o amynedd[6]	(*not*) a lot of patience	*dymunol*	pleasant

'Dw i wedi dod ag anrheg fach i Ann,' meddai fo, 'tâp ydi o un o'i hoff grwpiau.'

'Chwarae teg iti. Bydd Ann i lawr yn y munud. Dw i wedi galw arni hi. Diolch i ti am ddod. Mae addurno'r goeden yn mynd yn ras yn ein tŷ ni bob blwyddyn. Dw i'n siŵr eich bod chi wedi addurno eich coeden chi ers dyddiau?'

'Dim ond ers dydd Sadwrn. Mae'r goeden hon yn un hyfryd. Ydi Ann yn iawn?'

Doedd Mair ddim yn siŵr iawn sut i'w ateb. Roedd ganddi hi awydd rhannu ei phryderon efo Dylan, a mentrodd hi ddweud:

'Wel, ydi, dw i ddim yn credu ei bod hi'n sâl. Ond dydi hi ddim wedi bod yn debyg iddi hi ei hun ers misoedd rŵan. Dydi hi ddim byd tebyg i fel roedd hi'n arfer bod. Mae arna i ofn nad ydi hi'n edrych ar ei hôl ei hun.'

'A dydi hi ddim yn gwneud dim byd i neb arall chwaith,' meddai Daniel. 'Mae hi wedi mynd mor ddi-feind, dw i ddim yn gwybod beth i'w feddwl ohoni. Dw i'n gobeithio y gwnei di ddangos iddi hi pwy ydi'r bòs, Dylan. Dyna'r unig ffordd efo genethod dw i'n credu. Beth rwyt ti'n feddwl, Dylan?'

'Wel . . .' doedd Dylan ddim yn gwybod beth i'w ddweud. Ac yn sydyn agorodd drws y lolfa, a daeth Ann i mewn i'r ystafell. Roedd ei hwyneb fel taranau.

'Be 'di'r rheswm am y distawrwydd 'ma? Ro'ch chi'n siarad amdana i, yndoeddech? Peidiwch chi â gwadu. Dw i'n ei weld o ar eich wynebau chi. Beth dech chi'n ddweud amdana i? Dech chi i gyd yn

---

addurno	to decorate	*fel taranau*	like thunder
di-feind	disagreeable	*distawrwydd (eg)*	silence

fy erbyn i! A ti, Dylan! Rwyt ti'n cynllwynio efo Dad a Mam. Dos o 'ma. Gad lonydd i mi. Dw i byth eisio dy weld di eto. Wyt ti'n deall?'

Roedd Dylan yn sefyll yn hurt. Sibrydodd o Nadolig Llawen wrth estyn ei barsel i Ann. Cipiodd Ann y parsel, a'i daflu at y goeden. Yna caeodd hi'r drws a rhedeg i fyny'r grisiau i'w llofft. Cododd Dylan y parsel a'i osod yn daclus ar y goeden. Chwarddodd o'n eironig.

'O leia,' meddai fo, 'dewisais i'r tâp iawn. "Chwarae'n troi'n chwerw". Baswn i wrth fy modd yn aros efo chi heno, ond dw i'n meddwl y basai'n well i mi fynd adre. Mae'n amlwg na fedra i helpu Ann. Mae'n ddrwg iawn gen i.'

XIV

Dyddiau tywyll oedd y rhai rhwng y Nadolig a'r Flwyddyn Newydd. Heb gwmni Dylan, doedd Ann ddim yn mynd o'r tŷ. Yn wir, doedd hi ddim yn dod allan o'i llofft yn aml. Roedd sŵn y tapiau i'w glywed o ganol y prynhawn tan ganol y nos weithiau. Tri diwrnod ar ôl y Nadolig, dwedodd Daniel ei fod o am fynd i'r swyddfa, er ei bod hi ar gau. Byddai'n gyfle da iddo fo glirio tipyn o'r gwaith papur.

Roedd Mair yn sefyll yn y gegin wag. Doedd hi ddim yn gwybod beth i'w wneud rŵan bod ganddi hi ormod

yn fy erbyn i	against me	*chwarddodd o*	he laughed
cynllwynio	to plot	*chwarae'n troi'n*	playing turning
estyn	to hand	*chwerw*	sour
cipio	to snatch		

o amser hamdden. Un peth oedd ar ei meddwl, sef cael sgwrs hir gydag Ann. Roedd hi wedi penderfynu ceisio mynd at wraidd y broblem, beth bynnag oedd y broblem honno. Dechreuodd hi falu ffa coffi. Gadawodd hi'r drysau ar agor er mwyn i'r arogl godi drwy'r tŷ. Aeth hi i gnocio ar ddrws y llofft a galw ar Ann. Rhoddodd hi ochenaid o ryddhad pan ddaeth Ann i lawr y grisiau ar ôl tipyn.

Meddyliodd Mair am ffordd ddiogel i agor y sgwrs.

'Wnest ti fwynhau'r Nadolig?'

'Do, diolch.'

'Wyt ti wedi dadflino?'

'Ydw.'

'Sut rwyt ti'n teimlo?'

'Yn iawn.'

'Sut mae'r gwaith yn dod ymlaen?'

'Yn iawn.'

'Yli, dw i'n poeni'n ofnadwy amdanat ti.'

'Pam?'

'Dw i byth yn gwybod beth rwyt ti'n feddwl y dyddiau 'ma.'

'Does ganddoch chi ddim hawl i wybod beth dw i'n feddwl.'

Roedd Mair wedi ofni clywed geiriau cas; ond pan ddaethon nhw, roedden nhw fel cawod o ddŵr oer.

'Wel, dw i'n fam i ti, yntydw i? Dw i ond isio i ti fod yn hapus.'

---

mynd at wraidd	to get to the root	*diogel*	safe
malu	to grind	*dadflino*	to unwind
ffa coffi	coffee beans	*hawl (eb)*	right
gadawodd hi	she left		

'Hapus! Y peth gorau fedrwch chi wneud ydi gadael llonydd i mi.'

'Ond dw i'n poeni. Poeni am dy iechyd di.'

'Dw i'n iawn.'

'Ond rwyt ti'n ofnadwy o denau. Dw i ddim yn meddwl dy fod ti'n bwyta. A chofia di fod gwaetha'r gaea o dy flaen di. Byddi di'n siŵr o gael annwyd os na fyddi di'n gryf.'

Er bod Mair yn gwybod ei bod hi'n codi gwrychyn Ann, aeth hi'n rhy bell efo'i chwestiynau.

'Dych chi'n pigo arna i trwy'r amser. Fedra i ddim gwneud dim byd yn iawn i chi, na fedra? Nac ydw, dw i ddim isio bwyd. Cadwch ych blydi mins peis!'

Rhedodd Ann allan o'r tŷ, heb got. Roedd clep y drws ffrynt fel taran yng nghlustiau Mair. Eisteddodd hi wrth y bwrdd, gan edrych ar y mins peis a'r cwpan hanner llawn o goffi. Doedd dim sŵn yn unman. Drwy'r ffenestr roedd hi'n gweld smotiau bach o law yn disgyn ar y patio.

Ar ôl iddi hi glirio'r llestri, gwasgodd hi fotwm y peiriant ateb. Clywodd hi neges oddi wrth Dylan, yn gofyn i Ann ei ffonio. Yna, clywodd hi lais Glenys.

'Diolch i ti am ffonio. Mae cynlluniau'r tai newydd yn barod. Dof i â nhw i dy swyddfa ddydd Iau. Hwyl . . .' Diweddodd y neges efo sŵn bach fel cusan.

Roedd Mair yn teimlo ei bod hi wedi cael ergyd arall. Ac eto, doedd hi ddim yn siŵr. Oedd hi wedi

---

gadael llonydd i mi	to leave me alone	*pigo ar*	to pick on
		clep (eg)	slam
gwaetha'r gaea	the worst of the winter	*yn unman*	anywhere
		diweddu	to end
codi gwrychyn	to annoy	*ergyd (eb)*	blow

dychmygu'r gusan? Chwaraeodd hi'r tâp eto. Penderfynodd hi ei bod hi'n ddiniwed. Roedd hi eisiau claddu ei hamheuon.

XV

Gosododd Mair y cig eidion ar y ddysgl. Trefnodd hi'r llysiau yn daclus o'i gwmpas. Yna gosododd hi'r ddysgl o flaen plât Daniel efo'r gyllell gerfio a'r fforc. Cafodd hi hyd i'r bocs cracyrs oedd ar ôl ers y Nadolig, a rhoi un gracyr wrth bob fforc. Goleuodd hi gannwyll am fod y diwrnod mor gymylog, a galwodd hi ei theulu i'w cinio Sul.

'Ro'n i'n meddwl y basech chi'n hoffi cael rhywbeth yn lle twrci,' meddai hi, gan geisio swnio'n hwyliog.

Cododd Daniel y gyllell gerfio.

'Mae hwn yn wych, Ann. Gwell i ti wneud y gorau o goginio dy fam tra bod gen ti gyfle. Dw i ddim yn credu cei di fwyd hanner cystal yn y coleg.'

'Ie, a dyma'r cinio Sul ola cyn i Ann fynd yn ôl i Aber', meddai Mair. 'Pryd bydd rhaid i ti fynd, Ann?'

'Fory, dw i'n meddwl.'

'Bobol bach! Oes rhaid i ti fynd mor fuan? Dwyt ti ddim wedi bod gartre bum munud.'

'Basai'n well i mi fynd. Dydi'r llyfrau iawn ddim gen i gartre.'

Taflodd Daniel winc ar Mair.

---

dychmygu	to imagine	*dysgl (eb)*	dish, plate
claddu	to bury	*cafodd hi hyd*	she found
amheuon (ll)	suspicions	*hanner cystal*	half as good

'Wel, os mai gwaith sy gen ti mewn golwg. Wyt ti'n siŵr nad rhyw hogyn sy'n dy dynnu di'n ôl? Cofia di dy fod ti'n gadael un hogyn digalon iawn 'ma. Mae Dylan druan yn methu deall beth ddaeth drostot ti y noson o'r blaen.'

Gofynnodd Mair yn dawel, 'Wyt ti wedi gweld Dylan, Daniel?'

'Nac ydw, clywed wnes i.'

Roedd Mair yn gwybod yn iawn pwy oedd wedi dweud.

'Wel, beth am anghofio'r peth rŵan a mwynhau ein cinio. Mae cariadon i gyd yn ffraeo,

'Den ni ddim yn gariadon,' meddai Ann yn flin. 'Mae Dylan yn gwneud pethau tu ôl i fy nghefn i. Mae'n gas gen i bobl sy'n gwneud hynny.'

Er bod Ann wedi dweud ei bod hi am fynd y diwrnod wedyn, wnaeth hi ddim llawer o ymdrech i bacio. Buodd rhaid gohirio'r daith am ddiwrnod arall. Erbyn hynny roedd Daniel yn rhy brysur i ddod. Wrth i Mair yrru'r BMW roedd hi'n cael ei dallu gan ddisgleirdeb yr haul. Cysgodd Ann dipyn o'r amser, ond doedd ganddi hi ddim i'w ddweud hyd yn oed pan oedd hi'n effro. Roedd Mair yn teimlo fel gyrrwr ambiwlans yn gyrru claf anymwybodol i'r ysbyty. Llwyddodd hi i beidio â swnianyn ystod y daith, ond wedi iddyn nhw gyrraedd daeth yr hen arfer yn ôl iddi hi. Dechreuodd hi ofyn cwestiynau pryderus. 'Mae'r lle 'ma'n hanner gwag.

gohirio	to postpone	anymwybodol	unconscious
dallu	to blind	swnian	to whine, nag
effro	awake	arfer (egb)	habit
claf (eg)	patient		

Ydi Jini yn dod yn ôl heddiw? Beth wnei di ar dy ben dy hun? Oes gen ti ddigon o fwyd?'

O'r diwedd gwelodd Mair nad oedd croeso iddi hi aros yn hirach a gadawodd hi Neuadd Pantycelyn. Roedd hi'n wylo erbyn iddi hi gyrraedd y ffordd fawr ond penderfynodd hi fod yn wrol. Roedd hi'n dechrau teimlo'n well nes iddi gofio am Glenys a'i neges ar y peiriant ateb. Oedd Daniel a Glenys wedi trefnu i gyfarfod yn y swyddfa wag er mwyn caru? Cofiodd Mair wedyn am y sgwrs dros ginio dydd Sul. Roedd Daniel yn gwybod am deimladau Dylan. Roedd Mair yn siŵr mai Glenys oedd wedi dweud wrtho fo.

Cyn cyrraedd y tŷ penderfynodd hi beidio â chyhuddo Daniel. Fyddai hi ddim gwell o golli ei hurddas. Dechreuodd hi feddwl beth i'w wneud i swper.

Ond roedd y lle'n wag ac yn dywyll. Rhoddodd Mair quiche yn y popty ac yna trodd hi'r teledu ymlaen yn y lolfa. Roedd y rhaglenni i gyd yn anniddorol, a dechreuodd ei meddwl gorddi unwaith eto. Pan ddaeth Daniel i'r tŷ, tua naw o'r gloch, cafodd o ateb digon llym ganddi hi.

'Ydw, dw i gartre ers oriau, ac mae'r swper yn y popty ers oriau hefyd.'

'Paid â bod mor groendenau. Dw i'n gwybod beth sy'n bod arnat ti. Poeni am Ann rwyt ti. Dylen ni fod wedi rhoi chwip din i'r ast fach cyn rŵan. Dydi hi ddim wedi gwneud dim byd y gwyliau ma ond diogi. Dydi hi ddim hyd yn oed yn ymolchi a gwisgo ei hun yn daclus.'

gwrol	brave	*llym*	sharp
cyhuddo	to accuse	*croendenau*	touchy
urddas (eg)	dignity	*chwip din (eb)*	thrashing
corddi	to churn	*gast fach (eb)*	little bitch

Protestiodd Mair.

'Roedd hi wedi blino'n ofnadwy pan ddaeth hi adre. A dydi hi ddim yn gryf. Mae hi wedi mynd yn denau iawn ers iddi hi fynd i Aberystwyth.'

'Dyna ti eto, yn gwneud esgus drosti hi, fel petasai hi'n blentyn. Dw i wedi dweud wrthot ti o'r blaen. Mae'n rhaid i ti stopio hyn. Mae'n dinistrio ein priodas.'

Aeth y distawrwydd yn boenus. Doedd Daniel ddim wedi bwriadu dweud cymaint, a doedd Mair ddim yn medru credu ei fod o wedi dweud hynny. Clywodd hi ei hun yn dweud,

'Ac wyt ti'n meddwl bod Glenys yn gwneud lles i'n priodas ni?'

Yna rhedodd hi i'r gegin a chau'r drws. Daeth y dagrau'n llif y tro 'ma.

XVI

Chwarae teg i Pat. Roedd hi bob amser yn barod i roi cydymdeimlad dros y ffôn. Y tro 'ma, roedd hi'n medru deall nad oedd hynny'n ddigon.

'Dof i acw. Cei di ddweud yr hanes i gyd. Na, erbyn meddwl gwnawn ni'n well na hynny. Awn ni allan i gerdded. Dos i chwilio am dy sgidiau cerdded a dy het wlân. Bydda i acw mewn chwarter awr.'

I Mair, roedd unrhyw le yn well na'r tŷ. Dringodd hi'n ufudd i mewn i gar Pat. Sylwodd hi ddim ar y

llif (eb)	flood	*het wlân (eb)*	woolly hat
erbyn meddwl	come to think of it	*sylwi ar*	to notice

ffordd nes iddyn nhw gyrraedd y maes parcio wrth droed y mynydd. Protestiodd hi nad oedd hi wedi arfer dringo, ond cychwynnodd y ddwy ar hyd y llwybr rhwng y coed. Roedd eu traed yn crensian ar yr hen ddail. Dechreuodd Mair ddweud beth oedd yn ei phoeni.

'Dw i ddim yn gwybod ble i droi. Dw i'n methu deall beth sy wedi dod dros Ann. Dydi hi ddim fel hi ei hun o gwbl. Mae fel petasai ei phersonoliaeth wedi newid. Roedd hi'n arfer bod mor annwyl. A rŵan mae hi'n swrth iawn, ac mae hi'n gwylltio ar ddim.'

'Ydi hi'n cymryd rhywbeth, wyt ti'n meddwl?'

'Beth rwyt ti'n feddwl, cymryd rhywbeth?'

'Wel, cyffuriau neu rywbeth.'

Aeth Mair yn wyn.

'Dwyt ti ddim yn meddwl . . .? Nac ydi. Baswn i wedi gweld rhyw arwydd. Mae hi'n smygu, mae'n wir, ac mae hynny'n gyrru Daniel yn wyllt. Mae o'n meddwl mai dim ond y dosbarth gweithiol sy'n smygu y dyddiau 'ma. Ond cyffuriau! Dw i wedi bod yn cadw'r gair allan o fy meddwl, a dweud y gwir. Ond nac ydw, dw i ddim yn credu hynny.'

'Ydi hi'n yfed?'

'Mae caniau lager o gwmpas, mae hynny'n wir hefyd. Dyna beth arall. Bues i mor ofalus yn ei dysgu hi i roi sbwriel yn y bin pan oedd hi'n fach. Roedd hi wrth ei bodd yn gwneud hynny, ac yn cadw ei llofft yn daclus. Medrwn i fod wedi arbed f'anadl. Mae hi wedi mynd mor flêr!'

---

ar hyd y	along the	*dail (ll)*	leaves
llwybr (eg)	path	*cyffuriau (ll)*	drugs
crensian	to crunch	*arbed f'anadl*	to save my breath

64

'Dylet ti weld llofft yr hogiau acw.'

'Wel, mae hogiau'n wahanol, yntydyn? Mae hogiau'n flêr yn naturiol, ond maen nhw'n tacluso wedi dechrau caru. Mae Ann wedi gwneud o chwith i hynny. Dyna beth arall. Mae hi wedi ffraeo efo Dylan, a does neb yn deall pam. Mae Daniel yn flin am hynny hefyd.'

Craciodd ei llais, a deallodd Pat pam.

'A dydi Daniel ddim o help?'

'Mae pethau'n waeth na hynny. Mae o'n flin iawn efo Ann, ac mae o'n dweud mai arna *i* mae'r bai, am ei difetha hi. A dw i'n amau'n gryf ei fod o'n gweld Glenys, ac yn meddwl ei bod hi'n fam berffaith. Pat, mae gen i ofn. Ofn bod fy mhriodas i'n mynd i'r gwellt. Beth dw i wedi ei wneud o'i le? Popeth, mae'n debyg. Does gen i neb ond Ann a Daniel, a dw i wedi methu efo'r ddau.'

'Nid ti sydd wedi methu, Mair fach. Mae Ann wedi cael y fam orau yn y byd; ond dw i ddim yn gwybod sut medri di ei helpu hi rŵan. Wyt ti'n meddwl y basai hi'n cytuno i weld meddyg? Na fasai, mae'n debyg. Ond paid â phoeni am Daniel. Mae o'n siŵr o gallio, os ydi o'n gwybod beth sy'n dda iddo fo.'

Wrth siarad, roedd Mair yn colli ei gwynt. Roedd y ddwy'n cerdded yng ngoleuni'r haul oedd yn dod rhwng y coed. Roedd coeden wedi disgyn wrth ochr y llwybr a phenderfynodd y ddwy ffrind eistedd lawr. Buon nhw yno am amser hir, heb ddweud dim. Yna, cododd Pat a dweud,

'Wel, den ni mynd i'r top, neu beth?'

yr hogiau acw	my boys	*o'i le*	wrong
o chwith	the opposite	*callio*	to wise up
mynd i'r gwellt	to go to the dogs	*goleuni (eg)*	light

Wrth iddyn nhw gychwyn i fyny'r llethr, clywon nhw leisiau a chi'n cyfarth. Yn sydyn, gwelon nhw'r ci a menyw eithaf ifanc, hogyn a geneth oed ysgol. Roedd y plant yn ffraeo am fod y ddau eisiau dal tennyn y ci, ond doedd y fam ddim yn talu sylw. Gan fod y ddau blentyn yn ceisio cael gafael yn y tennyn, roedd y ci yn cael ei dynnu i bob cyfeiriad ac yn cyfarth yn wyllt. Yn y diwedd syrthiodd y tri i lawr y llethr. Torrodd yr eneth ei gwefus ar garreg a dechrau crio. Cipiodd yr hogyn y tennyn, gan wylltio'r ci nes iddo gael brathiad ganddo fo. Aeth y fam hefyd yn wyllt.

'Arnoch chi mae'r bai, y cnafon bach! Sawl gwaith ydw i wedi dweud wrthoch chi am beidio ag ymladd? Arhoswch chi nes i mi ddweud wrth eich tad sut dech chi wedi bihafio. Bydd o'n barod i'ch lladd chi.'

Aeth Mair a Pat heibio mor dawel â phosibl. Wedi mynd allan o glyw'r teulu bach, sibrydodd Pat,

'Dyna i ti fam! Beth sy gen ti i deimlo'n euog amdano?'

Aeth y ddwy i fyny'r bryn yn teimlo fymryn yn well.

---

cyfarth	to bark	*brathiad (eg)*	bite
menyw (eb)	a woman	*cnafon bach (ll)*	scallywags,
tennyn (eg)	lead		rogues
carreg (eb)	stone	*clyw (eg)*	hearing

XVI

Bod, nid byw, wnaeth Mair y mis Ionawr hwnnw. Roedd hi'n gobeithio bob dydd am gael clywed gan Ann. Ddaeth dim cerdyn post na galwad ffôn. Roedd Daniel yn dod adref yn hwyr bob nos, yn rhy flinedig i wneud dim ond edrych ar y teledu. Ceisiodd o berswadio Mair i fynd i siopa a phrynu llawer o ddillad, ond doedd ganddi hi ddim awydd cael dillad newydd. Prynodd hi ddillad ar gyfer cadw'n heini, a dyna i gyd. Roedd hi'n mynd i'r dosbarth o hyd achos bod Pat yn mynnu ei bod hi'n mynd. Hefyd roedd cadw'n heini'n rhoi rhyddhad i'w meddwl aflonydd hi. Ddwedodd Daniel ddim mwy am eu priodas, ond roedd Mair yn teimlo fel Damocles pan oedd y cleddyf yn hongian uwch ei ben.

Pan ddisgynnodd y cleddyf, doedd ganddo fo ddim byd i'w wneud â'r briodas. Ffoniodd Jini o Aberystwyth. Roedd hi'n ymddiheuro am fod yn fusneslyd.

'Dw i'n siŵr nad oes gen i hawl i wneud hyn, a basai Ann yn fy lladd i petasai hi'n gwybod. Ond dw i'n poeni bod rhywbeth yn bod arni hi. Dydi hi ddim wedi bod allan o'i llofft ers dyddiau. Mae hi'n gadael i mi ddod â bwyd iddi hi o'r ffreutur, ond dw i ddim yn gwybod faint o'r bwyd mae hi'n fwyta. Mae hi'n dweud nad ydi hi'n sâl, ac mae hi'n gwrthod gweld meddyg. Ro'n i mor anesmwyth, gwnes i drafod y sefyllfa efo Mam oedd yn dweud y dylwn i eich ffonio chi. Mae Mam yn gwybod sut basai hi'n teimlo yn yr un sefyllfa!'

---

bod	to exist	*cleddyf (eg)*	sword
aflonydd	restless	*gwrthod*	to refuse

Ffoniodd Mair y swyddfa i ddweud wrth Daniel. Wfftiodd o yr holl beth.

'Rwyt ti'n wirion iawn os wyt ti'n meddwl mynd i Aber bob tro mae Ann yn camfihafio. Dw i'n amau mai isio sylw mae hi ac rwyt ti'n gwneud pethau'n waeth wrth ei difetha. Rhyngddi hi a'i photes, ddweda i!'

Ond roedd Mair yn awyddus i fynd i Aberystwyth y bore wedyn. Y noson honno, methodd hi gysgu. Cododd hi am un o'r gloch y bore i wneud cyflaith. Roedd hi'n cofio y byddai Ann, wrth ei bodd yn gwneud cyflaith pan oedd hi'n fach. Ond wrth droi'r menyn a thriog yn y sosban dechreuodd Mair deimlo'n flinedig. Cysgodd hi'n drwm am ddwy awr yna cododd hi i dorri'r cyflaith yn ddarnau taclus a'i bacio fo i fynd efo hi. Roedd hi'n gobeithio y byddai Ann yn ei dderbyn. Roedd ei nain hi bob amser yn dweud bod cnoi cyflaith yn beth da ar gyfer tawelu pryderon!

Wedi cyrraedd Neuadd Pantycelyn, dechreuodd hi deimlo'n ansicr. Roedd pob man yn dawel. Aeth hi i'r swyddfa fach wrth y drws i egluro pwy oedd hi. Roedd hi'n syn clywed bod neges yno iddi hi oddi wrth y Warden. Roedd o eisiau iddi hi ddod i'w swyddfa i'w weld o.

Roedd y Warden yn gwrtais a charedig iawn. Dwedodd o ei fod o'n pryderu am Ann am nad oedd hi'n gofalu amdani hi ei hun. Hefyd doedd hi ddim yn gweithio fel dylai hi. Roedd ei thiwtor wedi dweud nad

---

wfftio yr holl beth	to make light of the whole thing	*cyflaith (eg)*	toffee (GC) *taffi* (DC)
camfihafio	to misbehave	*triog (eg)*	treacle
rhyngddi hi a'i photes	let her stew in her own juice	*cnoi*	to chew
		tawelu pryderon	to calm anxieties

68

oedd hi erioed wedi ysgrifennu traethawd. Doedd hi ddim wedi bod mewn darlith ers wythnosau. Erbyn hyn roedd hi'n gwrthod dod allan o'i hystafell. Roedd y Warden yn gobeithio y byddai ei mam yn medru ei pherswadio i fynd adref am weddill y tymor i gael newid a gorffwys. Byddai gobaith wedyn y byddai hi'n medru dechrau eto ar ei chwrs ar ôl y Pasg.

Deallodd Mair fod rhywbeth mawr yn bod. Roedd ei hofnau yn dod yn wir. Aeth ei chalon yn oer. Doedd hi ddim yn gallu aros i'r Warden orffen siarad, am ei bod hi ar gymaint o frys i gael gweld Ann. Rhedodd hi ar hyd y coridorau ac i fyny'r grisiau. Cnociodd hi ar y drws gan weiddi,

'Fi sy 'ma! Dw i wedi dod â chyflaith i ti.'

Ar ôl dweud y geiriau, roedd hi'n teimlo'n wirion. Roedd hi wedi 'siarad plant'.

Galwodd hi eto cyn clywed llais Ann yn dweud:

'Arhoswch funud.'

Agorodd y drws rhyw fymryn. Brysiodd Mair i mewn. Roedd yr ystafell yn edrych yn debyg i'r tro o'r blaen, ond yn waeth os rhywbeth. Ar ôl agor y drws, neidiodd Ann yn ôl i'r gwely ac eistedd yno yn cuddio o dan y dillad gwely fel pe byddai ofn arni hi. Roedd hi fel plentyn bach. Trodd Mair y cloc yn ôl un deg pump o flynyddoedd. Eisteddodd hi ar y gwely a chofleidio ei phlentyn gan sibrwd geiriau disynnwyr. Roedd y ddwy yn ymladd â'u dagrau. Ar ôl tipyn gofynnodd Mair,

'Beth sy'n bod? Beth sy'n dy boeni di?'

---

traethawd (eg)	essay	*tro o'r blaen*	previous time
darlith (eb)	lecture	*cofleidio*	to hug
ar gymaint o frys	in so much of a hurry	*disynnwyr*	meaningless

'Maen nhw'n dod i fy nôl i. Maen nhw'n mynd i fy rhoi i yn y sbwriel!'

'Nac yden siŵr. Dw i 'ma rŵan. Gwna i edrych ar dy ôl di. Edrych, gwnes i gyflaith neithiwr. Wyt ti isio darn?'

Tawelodd y llygaid fymryn, a daeth un llaw allan o dan y dillad gwely. Yna, trodd y llaw i wthio'r cyflaith i ffwrdd.

'O na, dw i'n gwybod. Dech chi wedi rhoi tabledi ynddo fo. Wna i mo'i gymryd o. Dw i ddim yn wirion! Dech chi yn fy erbyn i hefyd!'

XVIII

Rhywsut, llwyddodd Mair i fynd ag Ann adref. Anfonodd hi am y meddyg. Yna ffoniodd hi a gofyn i Daniel ddod adref yn syth. Siaradodd y meddyg yn ofalus iawn â nhw.

'Mae arna i ofn bod nerfau Ann wedi chwalu. Dw i wedi rhoi rhywbeth i'w thawelu hi rŵan, ond bydd rhaid iddi hi gael gofal arbennig iawn am dipyn o amser.'

'Gwna i bopeth fedra i,' meddai Mair.

'Gwnewch, dw i'n siŵr. Ond bydd yn well iddi hi fynd i'r ysbyty. Mae hi'n bryderus iawn. Yn wir, mae hi'n baranoid ar hyn o bryd. Mae'n rhaid iddi hi gael gofal proffesiynol. Peidiwch â phoeni. Bydd hi'n cael dod adre unwaith y bydd hi'n well. Gwnaiff y seiciatrydd egluro pethau i chi.'

---

gofal (eg)	care	*ar hyn o bryd*	at the moment

Llwyddodd Daniel i edrych yn bwysig wrth iddyn nhw gyrraedd yr ysbyty. Ond doedd dim pwrpas mewn ceisio gwneud argraff ar y seiciatrydd. Roedd ei lais yn dawel, a'i gorff yn llonydd. Gwnaeth o i Mair deimlo'n well yn syth drwy gydnabod ei phryder; ond er iddo fo roi ei neges yn dyner ychydig o gysur oedd ynddi hi.

'Dw i'n siŵr eich bod chi'n sylweddoli bod eich merch yn diodde o salwch meddwl ar hyn o bryd.'

'Fedrwch chi ddweud am faint o amser bydd hi fel hyn?' gofynnodd Daniel.

'Na fedra, mae arna i ofn. A dweud y gwir, byddwn ni'n ceisio lleddfu'r symptomau. Dyna beth sy'n bwysig ar hyn o bryd. A dw i'n falch o ddweud y medrwn ni wneud llawer iawn i'r cyfeiriad 'na. Mae cyffuriau i gadw'r salwch dan reolaeth. Os byddwn ni'n medru perswadio Ann i gydweithio â ni, byddwn ni'n medru ei helpu hi i fyw bywyd eitha derbyniol.'

'Beth ydi'ch cyngor chi felly, doctor?' gofynnodd Mair.

'Hoffwn i iddi hi aros yn yr uned 'ma am dipyn, er mwyn i ni gael dewis y cyffuriau gorau iddi hi. Wedyn does dim rheswm pam na fyddai hi'n medru byw efo chi gartre, neu ar ei phen ei hun. Wrth gwrs bydd y nyrsys yn y gymuned yn rhoi pob gofal a chefnogaeth iddi hi.'

'A phryd bydd hi'n medru mynd yn ôl i'r Brifysgol?' Cwestiwn Daniel oedd hwn.

---

drwy gydnabod	by acknowledging	*derbyniol*	acceptable
salwch meddwl (eg)	mental illness	*cyngor (eg)*	advice
lleddfu	to alleviate	*cymuned (eb)*	community
cydweithio	to co-operate	*cefnogaeth (eb)*	support

'Mae arna i ofn na fedra i ddweud hynny. Basai pwysau o unrhyw fath yn ddrwg iddi hi.'

'Ond beth am ei gyrfa hi?'

'Dw i'n siŵr y basech chi'n cytuno bod ei hiechyd hi'n bwysicach.'

Wnaeth Daniel ddim ateb am funud. 'Dech chi'n dweud na fydd hi byth yn cael mynd yn ôl? Mae hi'n eneth alluog iawn. Roedd hi'n gwneud yn wych cyn i hyn ddigwydd!'

Daeth tosturi i wyneb y meddyg.

'Dw i'n deall hynny a dw i'n deall eich galar am popeth dech chi wedi golli. Cymerwch eich amser i weithio drwyddo fo. Os medrwch chi gymryd un dydd ar y tro, bydd hynny o help mawr i chi ac i Ann.'

'Doctor, Ann ydi ein hunig blentyn ni. Dw i ddim yn amau eich gallu chi, ond hoffwn i gael barn rhywun arall. Dw i'n fodlon talu am driniaeth breifat os oes angen.'

'Wrth gwrs, mae ganddoch chi hawl i gael barn meddyg arall. Dech chi'n nabod rhywun, neu hoffech chi i mi wneud trefniadau?'

'Rhodda i wybod i chi. Diolch i chi am eich help'

Cododd Daniel i ddangos fod y cyfweliad drosodd. Daeth y meddyg i'w hebrwng at y drws, a rhoddodd o ei law ar ysgwydd Mair. 'Mae'n ddrwg iawn gen i,' meddai fo.

---

pwysau (eg)	pressure	barn (eb)	opinion
gyrfa (eb)	career	triniaeth (eb)	treatment
tosturi (eg)	pity	trefniadau (ll)	arrangements
galar (eg)	grief	cyfweliad (eg)	interview

Roedd Daniel ar frys i fynd yn ôl i'w waith. Gollyngodd o Mair wrth y tŷ, gan ddweud y byddai fo'n hwyr yn dod adref.

'Af i i'r Clwb i weld pwy fydd yno. Nid beth dech chi'n wybod, ond pwy dech chi'n adnabod, sy'n bwysig ar adeg fel hyn. Y peth gorau fasai i ni anfon Ann i glinig yn Llundain, os yn bosibl, lle nad oes neb yn ei hadnabod hi.'

'O, paid â gwneud hynny. Rŵan mae hi eisiau ei chartre yn fwy nag erioed! Fedra i ddim diodde meddwl amdani hi'n mynd i ffwrdd. Plîs, Daniel!'

'O, wel, cawn ni drafod rhywdro eto. Ond paid â mynd yn isel, mae isio tipyn o asgwrn cefn ar adeg fel hyn. Mae'n rhaid i ni ddweud wrth bawb bod Ann wedi gweithio'n rhy galed yn y coleg. Mae angen tipyn o orffwys arni hi, dyna i gyd.'

Aeth Mair i'r tŷ yn dorcalonnus. Cyn hir ffoniodd hi Pat. Daeth Pat draw yn syth, gan adael ei theulu i wneud eu swper eu hunain. Aeth hi ddim adref tan un ar ddeg o'r gloch. Erbyn hynny roedd Mair yn flinedig iawn ac yn barod i'w gwely. Doedd dim sôn am Daniel.

---

gollwng (gollyng-)	to drop	*asgwrn cefn (eg)*	backbone
ar adeg fel hyn	at a time like this	*torcalonnus*	heartbroken

73

XIX

Daeth seiciatrydd o Lundain i roi ei farn am salwch Ann, ond roedd o'n cytuno'n llwyr â'r meddyg lleol. Doedd Daniel ddim yn fodlon, ond daeth o i ddeall na fyddai gwario arian mawr yn gwella iechyd Ann. Ar yr un pryd daeth o i arfer â'r ffaith ei bod hi yn Uned Seiciatrig ysbyty'r ardal, dau ddeg pump o filltiroedd o'r tŷ. Ond roedd ymweld â hi'n boenus iddo fo, am fod ganddo fo ofn cyfarfod pobl leol. Doedd o ddim am iddyn nhw holi gormod.

Amser Pasg roedd Daniel yn awyddus iddo fo a Mair fynd i ffwrdd am wythnos o wyliau; ond roedd Mair yn ymweld ag Ann bob dydd, a doedd hi ddim yn fodlon torri ar ei harfer.

'Dos di os wyt ti isio,' meddai hi. 'Dw i'n deall bod gen ti angen gorffwys.' Wrth ddweud y geiriau, roedd hi'n ofni ei bod hi'n rhoi cyfle i Daniel a Glenys fynd i ffwrdd gyda'i gilydd. Doedd hi ddim yn siŵr erbyn hyn a oedd ots ganddi hi neu beidio. Roedd ei hegni i gyd yn mynd ar feddwl am bethau i wella Ann. Roedd hi'n dod ag anrhegion bach i'r uned, i atgoffa Ann am hapusrwydd ei phlentyndod. Berwodd Mair wyau yn galed a phaentio wynebau arnyn nhw. Gadawodd hi nhw gyda'r nyrs ar gyfer brecwast bore'r Pasg.

Eto, roedd hi'n teimlo bod dyfodol ei phriodas yn dibynnu ar beth fyddai'n digwydd dros benwythnos y gwyliau. Pe byddai Daniel yn methu dioddef bod

---

daeth o i arfer â	he became used to	*a oedd ots*	whether she
torri ar ei harfer	to break her habit	*ganddi hi*	minded
gyda'i gilydd	together	*egni (eg)*	energy
		dibynnu ar	to depend on

gartref y penwythnos hynny, byddai Mair yn gwybod nad oedd dyfodol i'r briodas. Roedd y tensiwn yn tyfu bob dydd. Bore dydd Iau dwedodd Daniel,

'Dw i am fynd i'r swyddfa dydd Sadwrn, gan nad wyt ti isio dod i ffwrdd dros y penwythnos.'

Cofiodd Mair fod Glenys wedi mynd i swyddfa Daniel dros wyliau y Nadolig. Roedd ofn yng ngwaelod ei meddwl wrth iddi hi fynd a'r wyau i'r ysbyty. Roedd hi'n teimlo'n hapusach pan welodd hi fod Ann ychydig yn well. Roedd hi'n holi am ei thad.

'Gofynnwch iddo fo ddod fory.'

Pan ddwedodd Mair wrth Daniel fod Ann eisiau ei weld o, daeth bywyd i lygaid ei gŵr.

'Gwna i fargen efo ti,' meddai fo. 'Os doi di i'r Clwb efo fi heno, dof i i'r ysbyty efo ti fory. Hwyrach y cawn ni fynd ag Ann allan i de.'

Dim ond ychydig o bobl oedd yn y Clwb. Ond roedd Wiliam a Glenys yno, yn yfed sieri. Ro'n nhw'n eistedd wrth ochr trefniant ysblennydd o gennin Pedr.

'Mae pawb ond chi a ni wedi mynd i ffwrdd, mae'n debyg,' meddai Wiliam yn hwyliog. 'Ond den ni'n cychwyn bore fory, i Ibiza. Mae angen gorffwys arnon ni. Mae Glenys yn gweithio'n llawer rhy galed yn y swyddfa 'na. Wnewch chi gymryd rhywbeth i'w yfed?'

Roedd Mair yn teimlo'n llawer gwell. Roedd y bwyd yn dda, a'r gerddoriaeth yn eithaf dymunol. Dechreuodd hi fwynhau ei hun. Roedd hi'n sgwrsio'n naturiol efo Glenys. Aeth y ddwy i'r tŷ bach. Yno holodd Glenys sut roedd Ann.

---

trefniant (eg)   arrangement   *cennin Pedr (ll)*   daffodils
ysblennydd   splendid

75

'Fasai hi'n fodlon gweld Dylan? Mae hi ar ei feddwl o drwy'r amser,' meddai hi'n bryderus.

'Baswn i'n ddiolchgar iawn petasai fo'n mynd i'w gweld hi,' meddai Mair. 'Bydd Daniel a fi'n mynd i'r ysbyty fory. Mae croeso iddo fo ddod efo ni.'

Daeth Dylan â thusw mawr o narsisi. Cerddodd y tri ohonyn nhw drwy ystafelloedd yr uned a gwelodd Ann nhw o bell. Wnaeth hi ddim dod i'w cyfarfod, ond edrychodd hi arnyn nhw'n dod ati hi. Doedd ganddi hi ddim gwên i'w thad; ond roedd hi'n edrych yn falch o gael ei wy Pasg ysblennydd o. Dwedodd hi 'helô, Mam' yn ddidaro ond yn ddigon cyfeillgar. Edrychodd hi'n swil ar Dylan, heb ddweud gair. Roedd o fel pe byddai o'n fodlon i fod yno, yn barod i wneud sgwrs pan fyddai angen.

Roedd y sgwrs yn gloff, ac roedd pawb yn gwenu mwy nag arfer. Aeth Daniel i nôl coffi i bawb o'r bar yn y gornel. Ar ei ffordd i nôl y coffi, aeth i chwilio am y nyrs yng ngofal yr uned, i holi am Ann.

'Mae Ann yn gwella'n foddhaol iawn,' meddai'r nyrs. 'Ond wrth gwrs mae ganddi hi ffordd bell i fynd. Mae hi'n bwysig ei bod hi'n cymryd ei thabledi, a'i bod hi'n cael cefnogaeth gan bawb o'i chwmpas.'

Roedd Daniel yn edrych yn feddylgar wrth gario'r coffi yn ôl at bawb. Roedd o'n syn gweld y tri'n gwenu. Roedd Ann wedi mynnu agor y parsel oedd gan Mair iddi hi. Roedd hi'n gafael mewn coban lês ddu, ac yn ei dal i fyny o'i blaen. Trodd Dylan i ffwrdd i helpu Daniel efo'r coffi, ond roedd ei wyneb yn goch.

| *cloff* | lame | *yn feddylgar* | thoughtfully |
| *yn foddhaol* | satisfactorily | | |

Rholiodd Ann y goban yn swp blêr, a'i rhoi dan glustog ei chadair. Roedd y pedwar ohonyn nhw'n teimlo'n swil. Yfodd pawb ei de mewn distawrwydd.

Yna, symudodd Ann at fwrdd ym mhen draw y ward. Cododd hi bapur newydd, a dechrau darllen. Aeth Mair ati hi, ond chymerodd Ann ddim sylw.

Y tro 'ma, wnaeth Mair ddim gofyn yr un cwestiwn.

'Awn ni adre, 'te. Wela i di fory, cariad.'

Wrth i'r tri ohonyn nhw droi at y drws, cododd Ann ei phen i edrych arnyn nhw. Cododd Dylan ei law arni hi cyn mynd.

Gwrthododd Dylan aros i swper efo Mair a Daniel, am fod ganddo fo waith i'w wneud.

Gyrrodd Daniel y car i fyny at y tŷ. Roedd yr haul yn mynd i lawr, ac roedd ei olau ambr yn disgyn ar y cennin Pedr yn yr ardd. Edrychodd Daniel yn falch ar y tŷ urddasol.

'Mae naw mlynedd wedi mynd ers i fi adeiladu'r tŷ 'ma,' meddai fo, 'ond dyma'r tŷ gorau yn y dre o hyd. Den ni wedi cael amser da 'ma, yndo?'

Crynodd Mair.

'Pam wyt ti'n dweud "wedi cael"?' gofynnodd hi.

Pwysodd Daniel ei freichiau ar yr olwyn.

'Mae Ann wedi difetha popeth,' meddai fo.

'Ond nid ei bai hi ydi hynny,' meddai Mair. 'Mae hi'n sâl.'

---

rholio	to roll	*ambr*	amber
swp (eg)	lump	*urddasol (eb)*	dignified
ym mhen draw	at the other end	*olwyn (eb)*	wheel
yr un cwestiwn[6]	(not) one question		

'Sâl, wir! Mae'r peth yn gywilyddus. Basai'n well petasai arni hi salwch go iawn, rhywbeth fel . . .'

'Fel beth?'

'O, dw i ddim yn gwybod. Llid yr ymennydd neu rywbeth.'

Daeth dicter â nerth i Mair.

'Daniel! Wyt ti'n gwybod beth rwyt ti'n ddweud? Rhag dy gywilydd di! A thra dw i wrthi, dweda i un neu ddau o bethau eraill wrthot ti. Nid doli ydi Ann, i ti gael chwarae efo hi a'i dangos i bawb. Mae hi'n blentyn i ni, ac mae ein hangen ni arni hi. Mae dy angen di arni hi! Rhaid i ni ei helpu hi i wella; ond os na wnaiff hi wella, bydd rhaid i ni fod yn gefn iddi hi am byth.

'Ac os wyt ti am redeg i ffwrdd efo'r Glenys berffaith 'na, wel, dos! Gwna i edrych ar ôl Ann. Dydi o ddim ots gen i beth fydd o'n ei gostio.'

Roedd Mair yn beichio crio. Agorodd hi ddrws y car, ond rhwystrodd Daniel hi rhag mynd allan.

'Hei, beth ydi hyn? Paid â mynd i sterics! Wyt ti'n genfigennus o Glenys? Mae Glenys a fi'n ffrindiau, dyna i gyd.'

'Beth mae hynny'n feddwl? Ond does dim ots. Un peth sy'n bwysig. Rhaid i ti beidio â throi dy gefn ar Ann.'

'Iawn. Ond mae dwy ochr i bob ceiniog. Dw i ddim yn hoffi dy weld di'n rhoi dy fywyd i gyd i Ann chwaith. Mae gen i hawl arnat ti hefyd.'

---

cywilyddus	shameful	cefn iddi hi	a support for her
go iawn (eg)	real	beichio crio	to burst into tears
llid yr ymennydd (eg)	meningitis	cenfigennus	jealous
dicter (eg)	anger	dwy ochr i	two sides to every
nerth (eg)	strength	bob ceiniog	argument
rhag dy gywilydd di	shame on you		

Doedd gan Mair ddim i'w ddweud. Eisteddodd y ddau yn y car, yn edrych ar y tŷ mewn distawrwydd. Yn araf, tawelodd eu tymer. Ysgafnhaodd yr awyrgylch. Daniel siaradodd gyntaf.

'A'r tro nesa pryna i goban i ti, paid â'i rhoi hi i ffwrdd. Awn ni i Baris y mis nesa, ie?'

---

tymer (eg)   temper   *ysgafnhau*   to lighten

Nodiadau

Mae'r rhifau (*numbers*) mewn cromfachau (*brackets*) yn cyfeirio at (*refer to*) rif y tudalennau (*page numbers*) yn y llyfr.

1. Tafodiaith Ogleddol

• Mae cymeriadau'r nofel yn dod o Ogledd Cymru ac felly maen nhw'n defnyddio tafodiaith y Gogledd wrth siarad. Mae 'GC' wrth gair yn dynodi (*denote*) bod y gair hwnnw'n air gogleddol. Mae gan eiriau o'r De 'DC' ar eu pwys.

• Un o'r gwahaniaethau amlwg (*obvious differences*), yw mai'r gair Cymraeg am y Saesneg 'he' yw 'fo' yn y Gogledd a 'fe' yn y De.

• Mae 'medru' yn cael ei ddefnyddio yn y Gogledd a 'gallu' yn y De.

Gogledd	De	
medra i	galla i	*I can*
medrwn i	gallwn i	*I could*

• Gwelwch chi'r ffurfiau amser presennol isod yn y ddeialog yn y nofel:

ydi (ydy)	'Ydi pethau mor ddrwg â hynny?' (30)
den ni (dyn ni)	'Den ni'n byw yn ymyl ein gilydd felly.' (26)
dech chi (dych chi)	'Dech chi i gyd yn fy erbyn i!' (56)
den nhw (dyn nhw)	'Den nhw ddim yn dathlu eu pen-blwydd chwaith!' (39)

• **Cynffoneiriau** (*tags*)

Iaith safonol	Tafodiaith Ogleddol	Saesneg
on'd ydw i?	yntydw i?	aren't I?
on'd ydych?	yntydych?	aren't you?
on'd ydyn?	yntyden	aren't they?
on'd ydy?	yntydi?	isn't he/she/it?
on'd do?	yndo?	didn't I/you/he? etc.
on'd oes?	yndoes?	aren't there?
on'd oedd?	yndoedd?	wasn't there?
on'd o'ch?	yndoeddech?	weren't you?
on' fyddi	ynbyddi?	won't you?

'Ddwedais i y basai hi'n gwneud ffrindiau, yndo?' (27)
'I said that she would make friends, didn't I?'

Weithiau, roedd hi'n gwenu ar Pat, gystal â dweud 'yntydw
i'n anobeithiol?' neu 'yntydi hyn yn jôc?' (30)
Sometimes, she smiled at Pat, as if to say, 'aren't I hopeless?'
or 'isn't this a joke?'

2. Meddai *said*

Mae 'meddai' yn cael ei ddefnyddio ar ôl geiriau sy'n cael eu
dyfynnu (*quoted*):

'Mae Ann yn gwella'n foddhaol iawn,' meddai'r nyrs. (76)
'Ann is improving very satisfactorily,' said the nurse.

'Byw tali ydi'r peth, medden nhw.' (46)
'Living together is the thing, so they say.'

3. Gan/wrth

Mae 'gan' a 'wrth' yn cael eu defnyddio i gyfleu gweithred (*to
convey an action*) sy'n digwydd yr un pryd â (*the same time as*)
gweithred arall. Maen nhw'n cyfateb (*correspond*) i 'ing' yn
Saesneg:

Brysiodd hi i roi'r ffôn i'w merch, gan ddweud bod ei thad
eisiau ei llongyfarch hi. (10)
She hurried to give her daughter the phone, saying that her
father wished to congratulate her.

Gwthiodd Dylan Ann tuag at y grisiau, ac wrth iddo fo droi
gwelodd o Mair . . . (15)
Dylan pushed Ann towards the stairs and, turning, he saw
Mair . . .

Mae **'wrth i'** yn cyfateb (correspond) i 'as' yn Saesneg:

'Wrth iddo fo droi, gwelodd o Mair yn sefyll mewn sioc uwch
ei ben.' (15)
As he turned he saw Mair standing in shock above him.

4. Gan

Yn yr iaith ffurfiol ac yn iaith y Gogledd, yr arddodiad 'gan' sy'n dangos meddiant (*possession*):

Iaith y De	Iaith y Gogledd
mae car 'da fi	mae gen i gar

Y ffurfiau sy'n cael eu defnyddio yn y nofel hon yw:

gen i	ganddon ni
gen ti	ganddoch chi
ganddo fe	ganddyn nhw
ganddi hi	

Roedd mwy o oriau hamdden gan Mair bob dydd. (37)
Mair had more hours of leisure every day.

'Ac os bydd ganddon ni amser, awn ni i weld y Mona Lisa hefyd.' (34)
'And if we've got time, we'll go and see the Mona Lisa too.'

Gall 'gan' hefyd gyfleu (*convey*) yr ystyr 'oddi wrth':

. . . cafodd o ateb digon llym ganddi hi. (62)
. . . *he got quite a sharp answer from her.*

5. Amodol (*conditional*)

Mae gan y berfenw 'bod' lawer o wahanol ffurfiau yn yr amodol. Dyma ffurfiau naratif y nofel hon:

Byddwn i (*I would be*)	Bydden ni
Byddet ti	Byddech chi
Byddai fo/hi	Bydden nhw

Roedd hi'n gobeithio y byddai Ann yn ei dderbyn. (68)
She hoped that Ann would accept it.

Pe byddwn i (*If I were . . .*) etc.

Roedd golwg swrth a blêr arni hi, fel pe byddai hi wedi gwisgo'r peth cyntaf a welodd hi. (49)
She looked sullen and untidy, as if she had worn the first thing she saw.

Defnyddir y ffurfiau isod yn y ddeialog:

Baswn i	Basen ni
Baset ti	Basech chi
Basai fo/hi	Basen nhw
Petaswn i = *If I were*	Petasen ni
Petaset ti	Petasech chi
Petasai fo/hi	Petasen nhw

'Baswn i'n ddiolchgar iawn petasai fo'n mynd i'w gweld hi,' meddai Mair. (76)
'I'd be very grateful if he went to see her,' said Mair.

6. fawr (o) /yr un

Mae gan 'fawr' ac 'yr un' ystyr negyddol mewn brawddegau negyddol:

Doedd gan Daniel fawr mwy i'w ddweud chwaith. (13)
Daniel didn't have much more to say either .

Ddwedodd Daniel na Mair yr un gair ar y ffordd i'r Clwb. (53)
Neither Daniel nor Mair said one word on the way to the Club.

Hefyd yng Nghyfres

N O F E L A U **NAWR**

DeltaNet
gan Andras Millward.

Mae DeltaNet, un o gwmniau electronig mwya'r byd, ar fin rhyddhau (*about to release*) y DN Connect, dyfais fydd yn trawsnewid (*transform*) y byd. Ond mae Ben Daniels, technegydd talentog yn DeltaNet, yn darganfod (*discover*) y gwir am y DN Connect. Caiff Ben ei dynnu'n ddirybudd (*unexpectedly*) i'r byd tywyll sydd y tu ôl i'r hysbysebion (adverts) slic, lle mae pawb yn cuddio cyfrinach (*harbouring a secret*) a lle mae gwybod y gwir yn arwain at (*leads to*) berygl a marwolaeth.

£3.50

ISBN: 1 85902 778 4

Hefyd yng Nghyfres

N O F E L A U **NAWR**

Bywyd Blodwen Jones
gan Bethan Gwanas

Mae Blodwen Jones yn dysgu Cymraeg, ac mae'r tiwtor Llew 'hyfryd hyfryd' Morgan wedi gofyn i bawb gadw dyddiadur (*diary*). Dyma fo.

Dyma fywyd preifat merch sengl 38 oed, sy'n byw efo'i gafr (*goat*) a chath ac sy'n llyfrgellydd (*librarian*) yng Ngogledd Cymru. Ei breuddwyd (*dream*) hi ydi priodi Llew Morgan a dysgu Cymraeg yn iawn. Ond dydi bywyd ddim yn hawdd i Blodwen.

£3.50

ISBN: 1 85902 759 8